Biblische Texte verfremdet Band 5
Herausgegeben und eingeleitet von Sigrid und Horst Klaus Berg

CIP-Kurztitelaufnahme der Deutschen Bibliothek

Warum ich Gott so selten lobe / hrsg. u. eingel.
von Sigrid u. Horst Klaus Berg. – München : Kösel;
Stuttgart : Calwer Verlag, 1987.
(Biblische Texte verfremdet ; Bd. 5)
ISBN 3-466-36370-5 (Kösel)
ISBN 3-7668-0827-3 (Calwer Verl.)
NE: Berg, Sigrid [Hrsg.]

© 1987 by Kösel-Verlag GmbH & Co., München
und Calwer Verlag, Stuttgart.
Printed in Germany. Alle Rechte vorbehalten.
Satz: Kösel, Kempten. Druck u. Bindung: Röck, Weinsberg
Umschlag: Günther Oberhauser, unter Verwendung des Bildes
»Das Gebet«, 1922, von Alexej Jawlensky. © 1987, Copyright
by COSMOPRESS, Genf.
ISBN 3-466-36370-5 (Kösel)
ISBN 3-7668-0827-3 (Calwer)

INHALT

sie kritisch umgeht. Darum fragen wir in einem *1. Schritt* nach der ursprünglichen Botschaft der biblischen Überlieferung, die den Verfremdungen des Bandes zugrundeliegt. Sodann prüfen wir in einem *2. Schritt,* welche Barrieren, Mißverständnisse, Gewohnheiten sich zwischen uns und die biblischen Texte geschoben haben. Können wir die Botschaft noch aufnehmen? Schließlich untersuchen wir, mit welchen Absichten und Methoden sich heute Schriftsteller und Künstler verfremdend mit diesen Texten auseinandersetzen *(3. Schritt).* Das werden wir an Beispielen aus diesem Band erläutern. (Eine ausführliche Darstellung der Grundsätze und Verfahren bietet Band 1 dieser Reihe an. Er enthält außerdem Vorschläge und Modelle zum Einsatz von Bibelverfremdungen in Religionsunterricht und Gemeindearbeit sowie Anleitungen zu eigenen Verfremdungsversuchen. Die Einleitungen zu den einzelnen Bänden können nur eine knappe Zusammenfassung anbieten; diese verwenden bei den Ausführungen über die Bedeutung der Verfremdung teilweise den gleichen Text.)

1. Schritt: Die Botschaft der biblischen Texte

Der biblische Mensch ist ein lobender Mensch; nicht nur in den Psalmen, den „klassischen" Texten, sondern fast in jedem Abschnitt des Alten und Neuen Testaments finden sich Beispiele des Lobens, Dokumente, die bezeugen, wie Menschen Gott die Ehre geben. Wir müssen uns vergegenwärtigen, daß dies Loben nicht nur ein liturgischer Vorgang im geschlossenen Raum des Kultus war, sondern eine Grund-Einstellung: Der biblische Mensch bestimmt sein Leben von den erfahrenen und bezeugten Heilstaten Gottes her; sein Dasein gewinnt Orientierung und Halt erst in bezug auf diese Heilstaten. Er erkennt und bekennt, daß er sein Leben nicht sich selbst verdankt. Sein Leben ist lobende Existenz; da, wo das Lob verstummt, ist der Tod: „In der Unterwelt lobt man dich nicht mehr", heißt es mehrfach (Ps 6,6; 30,10; 88,11 ff.; 115,17; 118,17; 119,175; Jes 38,18 f.). Welche Heilstaten sind es nun, die das Leben und Loben begründen? Im Alten Testament ist die Erinnerung an die Befreiung aus der Sklaverei grundlegend (vgl. dazu u. a. das „Mirjamlied" in Ex 15). Dazu tritt die Freude an der Schöpfung (vgl. Ps 8). Im Neuen Testament ist die grundlegende Heilstat das Christusgeschehen, das die Gemeinde lobend vergegenwärtigt: eines der bekanntesten Beispiele ist der „Christushymnus" aus Phil 2 (Text und Verfremdungsbeispiele in Band 4).

Neben diese großen Gotteswerke treten vielfältige Anlässe zum Loben, in denen ein Beter im Zusammenhang mit einer ganz persönlichen Erfahrung Gott danken will; er ist gesund geworden – er hat eine gefährliche Reise glücklich beendet – er konnte sich von falscher Anklage und Nachstellung befreien ... all das nimmt er dankbar aus Gottes Hand. Ein schönes Beispiel für solche persönlichen Dankgebete finden wir in Psalm 107,1–32, augenscheinlich eine Art Liturgie für einen Dank-Gottesdienst. Diesem Text können wir drei charakteristische Merkmale des Gottes-Lobs entnehmen: Die Erzählung von Not und Errettung – die Äußerung des Lobs in der Öffentlichkeit des Gottesdienstes – der Gemeinschaftsbezug.

Selbstverständlich ist für den hebräischen Menschen der Ort des Lobens nicht zuerst der private Bereich, sondern der Gottesdienst der Gemeinde. Hier erzählt der Beter von der Notsituation, in der er sich befand und aus der ihn Jahwe errettete.

Eine spezifische Form des gemeinschaftsbezogenen Gotteslobs ist das Dankopfer (hebr. toda). Der Beter hat in der Situation der Not Gott gelobt, ihm vor der Gemeinde die Ehre zu geben; das geschieht häufig nicht nur als vorgetragener Lobpreis, sondern eben als Opfer. Der Beter bringt ein Tier dar, von dem er auch ein Festessen mit seinen Freunden ausrichtet. Der Gemeinschaftsbezug des Lobens findet seinen Ausdruck im gemeinsamen Fest zu Gottes Ehre.

Welche Bedeutung hat das Loben für den, der es ausspricht?

Das können wir gut an den Texten der Psalmen ablesen: Immer wieder kommt die Zuversicht zur Sprache, daß Jahwe, der sein Volk befreite, der alles für die Menschen geschaffen hat und am Leben erhält, sie auch heute nicht im Stich läßt. Darüber können sich alle freuen; grenzenlos ist der Jubel; Himmel, Erde, Engel, Menschen, Fische, Vögel, Berge, Täler ... singen sein Lob. So hat das Lob für den Beter eine *doppelte* Bedeutung:

- Er richtet sich an einer positiven, dankbaren Lebensperspektive aus. Alle Erfahrungen gewinnen Licht und Wärme von dieser Grund-Einstellung her.
- Er vergewissert sich immer wieder, daß er in der Gemeinschaft derer geborgen ist, die sich auf die hilfreiche Gegenwart des Herrn verlassen; er „liebt die Gerechten ... doch in die Irre führt er die Gottlosen" (Ps 146,8 f.).

druck hat diese Haltung vielleicht in Goethes „Prometheus" gefunden:

„Hast du's nicht alles selbst vollendet,
Heilig glühend Herz? . . . . .
Ich dich ehren? Wofür?"

Diese leidenschaftliche Behauptung der Freiheit gegen Gott läßt sich heute in popularisierter, bürgerlicher Form so hören: „Ich brauche Gott nicht, um meine täglichen Probleme zu bewältigen" (vgl. die Verfremdung von Psalm 107: 5.46). Damit aber ist die Voraussetzung für das Gotteslob verschwunden.

Es liegt auf der Hand, daß dieser Konflikt durch ein bestimmtes Bild von Gott und unserem Verhältnis zu ihm ausgelöst wird. Es ist die Vorstellung des allgewaltigen Herrschers, der von seinen Untertanen bedingungslose Unterwerfung fordert. Gegenüber einem solchen Gott muß dann in der Tat das Lob zur Liebedienerei verkommen. Ein sehr interessantes Beispiel zu diesem Gedanken findet sich in den Erinnerungen von Manès Sperber. Er erlebt als Kind im jüdischen „Städtel", wie die Waisenkinder täglich lange Gebete sprechen müssen. Sie hatten „dreimal täglich das Totengebet zu wiederholen, das mit den Worten beginnt: ‚Erhöht und geheiligt sei der Name des Schöpfers . . .‘ und mit Schmeicheleien und Lobhudeleien fortfährt, deren die meisten Gebete aller Religionen bis zum äußersten Überdruß voll sind . . ." Sperber berichtet:

In dieser Zeit „stieg in mir zum ersten Mal der Zweifel auf: Was hatte Gott es nötig, von stammelnden, armseligen Waisenkindern ohne Unterlaß wiederholen zu lassen, daß Er, Er allein groß, wunderbar ist, daß Er allein das Weltall geschaffen hat, daß Sein Wille allein alles bestimmt . . . und so weiter und so fort. Ich hörte allzuoft Schmeicheleien an, mit denen sich arme Leute meinem Vater näherten, und fand sie widerlich, gleichviel ob die Lobhudler sofort oder etwas später irgendwelche Vorteile erreichen wollten. Sie glaubten wohl, den zu erhöhen, vor dem sie sich erniedrigten. Und Gott sollte desgleichen wünschen, ja fordern – morgens, nachmittags, abends, ja nächtens, auch von Kindern, die mit zufallenden Augen ihn preisen mußten?" (Die Wasserträger Gottes, dtv 1398, S. 35).

Es ist schon klar: Einen solchen Gott darf man nicht loben – denn dies Loben bedeutet hündische Unterwerfung – in dieser Vorstellung ist der biblische Gott zum tyrannischen Popanz entstellt, von dem Erich Fried zu Recht schreibt: „Wenn dein Gott zuviel Wert auf Anbetung legt, ist er der Teufel . . ." (5.2). – Zweifellos ist diese falsche Vorstellung dadurch unterstützt worden, daß die Christenheit jahrhundertelang die herrscherlichen, kriegerischen Züge im Gottesbild ganz einseitig herausgearbeitet und Unterwerfung unter seinen Willen als hervorragende christliche Tugend propagiert hat. Hier müssen Kritik und Neuorientierung ansetzen.

Ein letztes Bedenken gegen das Gotteslob greift auf die prophetische Kritik an einem heuchlerischen, weil verantwortungslosen Loben zurück. In der Tat gibt es ja auch heute ein faules Loben, das die Verantwortung für Gerechtigkeit und Frieden Gott allein zuschiebt. Wenn die Gemeinde im Sonntagsgottesdienst Gott dafür dankt, daß er allen Menschen Nahrung gibt – etwa im Beten des 145. Psalms – dann muß sich diese Gemeinde der Frage stellen, was sie selbst unternimmt, um Not und Hunger zu lindern. Die Beispiele für ein solches faules Loben lassen sich beliebig vermehren, sicher auch im eigenen Erfahrungsbereich; solange sich hier nichts ändert, fällt unser Gebet unter das Verdikt des Amos – es muß gelten: *so* darf man Gott nicht loben!

3. Schritt: Wie gehen Verfremdungen auf diese Situation ein?

Neue Sprachformen heben die übergroße Vertrautheit auf

Zunächst einmal geht es in den Verfremdungen darum, die eingespielten Wahrnehmungsgewohnheiten des heutigen Lesers oder Hörers zu stören, dafür zu sorgen, daß das allzu Bekannte in neuem Licht erscheint. Dabei stützen sie sich auf die Verfremdungstheorie von Bertolt Brecht, die dieser im Blick auf die Erneuerung des Theaters entwickelte („V-Effekt"). Brecht beschreibt den geplanten Vorgang so: „Der V-Effekt besteht darin, daß das Ding, . . . auf welches das Augenmerk gerichtet werden soll, aus einem gewöhnlichen, bekannten . . . Ding zu einem besonderen, auffälligen, unerwarteten Ding gemacht wird (Schriften zum Theater, Werkausgabe Bd. 15, Frankfurt 1967, S. 355).

Wie kann diese Wirkung erzielt werden?

Vor allem durch Aufbrechen der bisherigen Sprachformen. Wenn beispielsweise die biblischen Erzählungen auf wenige Zeilen verdichtet werden, ist die Aufmerksamkeit des Lesers gleich geweckt (Beispiele: 5.24; 5.25; 5.28). Oder: eine meditative Paraphrase entfaltet den kurzen Bibeltext Lk 2,14 in eine ausgreifende Refle-

chen. Wenn beispielsweise Rudolf Otto Wiemer das „Schwein"
anbetet (5.46), greift er nicht Gott an, sondern unsere Angewohn-
heit, gute Erfahrungen uns entweder als eigenes Verdienst zuzurech-
nen oder eben als „Glücksfall" abzuhaken. – Dieser und andere
Texte wollen den Leser aus erstarrten Gewohnheiten zu einer neuen
Begegnung mit der biblischen Botschaft herauslocken – nichts
anderes bedeutet ja pro-vozieren! Dies sollten wir im Auge behalten,
wenn wir uns provoziert fühlen.

Verstärkter Realitätsbezug belebt die biblische Botschaft

Als einen Grund für die Krise des Gotteslobs in unserer Zeit hatten
wir den mangelnden Bezug zur Wirklichkeit erkannt; das Lob zieht
sich auf den Innenraum des Gottesdienstes zurück und verliert damit
seine Lebenskraft (5.44). Diese können wir wiedergewinnen, wenn
wir die Realität nicht ausklammern und verdrängen, sondern sie in
den Lobpreis hineinnehmen – genau so, wie es die biblischen Beter
zeigen. Erst wenn die Erfahrung ausgehalten wird, daß wir oft
keinen Grund zum Danken erkennen (5.1), werden wir vielleicht
wieder aufmerksam. Wenn wir eingestehen, daß wir Gottes Auftrag
in seiner Schöpfung oft verfehlen (z. B. 5.11; 5.13), gewinnt der
Lobpreis seine kritische und verändernde Funktion zurück. Wenn
wir auch die Realität des Todes nicht verdrängen (5.55), ahnen wir,
daß Gottes Macht keine Grenzen akzeptiert. – Vielleicht werden wir
dann besser verstehen, welche Kraft vom „Schema Jisrael" ausging,
als es die todgeweihten Kinder Israels in den Gaskammern beteten.

Die Verfremdungen motivieren uns, „Täter des Wortes" zu werden

Nichts zerstört den Lobpreis gründlicher als das faule, heuchlerische
Loben, das die eigene Verantwortung für eine lobenswerte Welt
vergißt oder verleugnet. Darum ist es besonders wichtig, daß viele
Verfremdungen energisch unsere Aktivität einfordern (z. B. 5.6;
5.11; 5.13; 5.19; 5.20; 5.32; 5.47–49). „Loben und Protest" gegen
das Unrecht gehören zusammen, schreibt Jo Krummacher (5.19)
und Dieter Süverkrüp behauptet provozierend, Gott habe sogar das
Übel des Kapitalismus geschaffen und uns („arbeitsteilig"!) die
Aufgabe gestellt, ihn zu bekämpfen (5.20).

Wir sind am Ende unseres Rundgangs durch die Verfremdungen dieses Bandes. Alle gesammelten Texte und Bilder richten sich letztlich auf das eine Ziel, selbstverständlich gewordenes, faules Lob zu entlarven und abzubauen, damit wir wieder zu einem „Neuen Lied" kommen, das Gott in freier, mündiger Liebe die Ehre gibt und zu Mitarbeit an einer Welt bereit ist, die Gottes Ehre und dem Glück seiner Menschen gerecht wird. Geben wir acht, daß auch das „Neue Lied" nicht wieder zur Gewohnheit versteinert; es muß offen bleiben dafür, daß es durchkreuzt wird, um uns an den Grund von Gottes Ehre zu erinnern: das Kreuz (5.57).

Dies ist eine geistlich-politische übung
von hohem gebrauchswert

Sie verbindet mich
mit den müttern und vätern des glaubens
desselben kontraktes
sie lehren mich sehen
auszumachen was alles sehr gut ist
ich stelle essen bereit
für die immer hungrigen toten
Dorothee Sölle

5.2 Abschrift einer Inschrift in der Rinde des Baumes der Erkenntnis

Wenn
  dein Gott
      zuviel Wert
    auf Anbetung
  legt
ist er
    der Teufel
        oder
  des Teufels
oder
  doch
    auf dem
      besten
        Wege
      zu ihm   *Erich Fried*

5.3 Trotzdem bete ich . . .

O, du mein Gott: alle Völker preisen dich
und versichern dich ihrer Ergebenheit.
Was aber kann es dir bedeuten,
ob ich das auch tue oder nicht?
Wer bin ich, daß ich glauben soll,
mein Gebet sei eine Notwendigkeit?
Wenn ich Gott sage, weiß ich, daß ich damit von dem
        Einzigen, Ewigen,
Allmächtigen, Allwissenden und Unvorstellbaren spreche,
von dem ich mir ein Bild weder machen kann noch soll.
An den ich keinen Anspruch erheben darf oder kann,
der mein heißestes Gebet erfüllen
oder nicht beachten wird.

Und trotzdem bete ich,
wie alles Lebende betet;
trotzdem erbitte ich Gnaden und Wunder;
Erfüllungen.

Trotzdem bete ich,
denn ich will nicht des beseligenden Gefühls der Einigkeit,
der Vereinigung mit dir,
verlustig werden.

O du mein Gott,
deine Gnade hat uns das Gebet gelassen,
als eine Verbindung, eine beseligende Verbindung mit Dir.
Als eine Seligkeit, die uns mehr gibt,
als jede Erfüllung.

Arnold Schönberg

5.4 psalm

wir
haben
das knien
verlernt

wir
knien
vor nichts
wenn wir doch
knieten
vor nichts

in dem DU
nicht gefangen
bist
denn du
bist
groß

in deine richtung
knie ich

ich knie
vor der
NICHTS monstranz

Wilhelm Willms

¹ Ein Psalm Davids,

² Herr, unser Herrscher, wie herrlich ist dein Name in allen Landen!

Besingen will ich deine Hoheit über dem Himmel

³ mit dem Munde des Unmündigen und Säuglings.

Eine Feste hast du dir gegründet um deiner Widersacher willen, daß du zum Schweigen bringest den Feind und den Rachgierigen.

⁴ Wenn ich schaue deine Himmel,

das Werk deiner Finger,

den Mond und die Sterne,

die du hingesetzt hast:

⁵ Was ist doch der Mensch, daß du seiner gedenkst?

und des Menschen Kind, daß du dich seiner annimmst?

⁶ Du machtest ihn wenig geringer als Engel,

mit Ehre und Hoheit kröntest du ihn.

⁷ Du setztest ihn zum Herrscher über das Werk deiner Hände,

alles hast du ihm unter die Füße gelegt:

⁸ Schafe und Rinder allzumal,

dazu auch die Tiere des Feldes,

⁹ die Vögel des Himmels, die Fische im Meere,

was da die Pfade der Fluten durchzieht.

¹⁰ Herr, unser Herrscher,

wie herrlich ist dein Name in allen Landen!

Psalm 8

5.5

Franz Marc: Das sechste Tagewerk

5.6

Hätte ich Mund und Stimme
eines Kindes
wie unverbraucht
könnte ich von dir singen

Aber du hast uns
auf die Erde gestellt

Unser Flug
sollte Fortschritt heißen

und Mitbestimmung an deinem Werk
das du uns zu Füßen legst

Deine Erde
Unsere Erde

Wenn unser Fortschritt
ein Fortschreiten wird
von dir
wie rufst du uns zurück

Wie könnte ich von dir singen!

Hildegard Wohlgemuth

5.7 Achter Psalm als Wiegenlied

Schlaf, mein Kind, ich sing dir ein Lied:
„Herr, unser Herr, wie herrlich ist dein Name in allen Landen."
Noch verstehst du das, noch bist du klein genug,
und ich versuche, es wieder von dir zu lernen.
Wenn ich den Himmel betrachte, Milchstraßen für dich und
   mich,
(schlaf, mein Kind, noch verstehst du alles im Schlaf),
wenn ich durch's Fenster den Großen Bären sehe
und dann dich, winzig und schlafend – wer bist du,
daß sich Gott um dich kümmert?
Du bist wichtig, mein Kind, eine Weltmacht – verstehst du?
Mit deinem Geschrei, das der Nachbar nicht hören will,
lobst du Gott. Wenn du mit deinen Fingern spielst,
verkündest du seine Macht.
Wenn du die anlächelst, die dich nicht wollten, verkündest
   du
die Macht seiner Vergebung
und zu unser aller Beschämung vergeht uns in deiner Nähe
der Unsinn von Neid und Rache.
Hab Dank, mein Kind, und schlaf, denn auch wenn du
   schläfst,
lobst du Gott. Schlafe!
Ich sing dir das „Herr, unser Herr, wie herrlich . . .",
damit es mit dir wachsen kann.
Ich singe von Kühen und Schafen, die Gott für dich
   gemacht hat,
von Pferden und jungen Löwen, die dir gehören,
von Wäldern und Seen zu deinen Füßen.
Hör nicht auf, ihn zu loben, mein Kind, wenn du groß bist
und auf der Straße nicht spielen darfst
und auch nicht auf dem Rasen vorm Haus,

wenn dir der Hauswirt kein Kätzchen erlaubt
und wenn man dir
im Neckar die toten Fische zeigt.
Hör nicht auf, ihn zu loben!
Denn du bist fast so viel wie ein Engel,
Mit Herrlichkeit und Ehre gekrönt,
Herr über dem Werk seiner Hände, und alles ist zu deinen
    Füßen.
Aber sag es nicht weiter!
Schlaf!
Und hör nicht auf, ihn zu loben!

Cordelia Spaemann

5.8

weil ich dich loben muß
wen loben muß
loben mit welchen worten
wende ich mein gesicht in irgendeiner richtung

wo die autobahn hervorschießt mir entgegen
mekka
wo der ameisenhaufen im benachbarten walde
sonnenaufgang
wo die atombomben gestapelt
golgatha
wo der irre über dich briefe versendet
ganges
wo die kinderschuhe das frauenhaar und die judenasche
jerusalem
wo immer du bist wende ich mein gesicht hin
weil ich dich loben muß wen loben

weil du mir fehlst
überall fehlst bist du überall
und ich rufe laut deinen namen weiter
als das endliche sich ständig ausdehnende gekrümmte all

Ernst Eggimann

5.9

Ich bekenne Dich laut als groß und bewundernswürdig,
nicht weil Du die Sonne zur Herrscherin des Tages erhobst
und die Sterne über die Nacht regieren lässest;
nicht weil du die Erde schufst und alles darin,
die Feldfrüchte, die Blumen, die Kinos und die Lokomotiven;
auch nicht weil Du das Meer machtest und alles in ihm,
seine Tiere, seine Pflanzen, seine U-Boote und seine Sirenen;
ich proklamiere Dich großartig und bewundernswert für
immer,
weil Du Dich klein machtest in der Eucharistie,
so winzig, daß ich, schwach und elend, Dich in mir haben
kann! . . .

Murilo Mendes

5.10 Maßstäbe

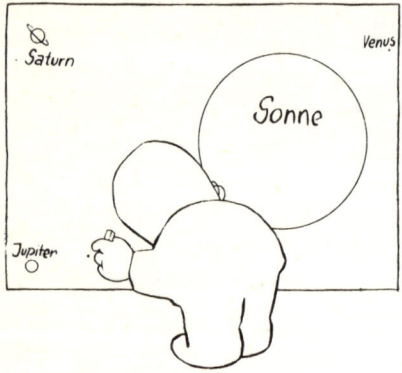

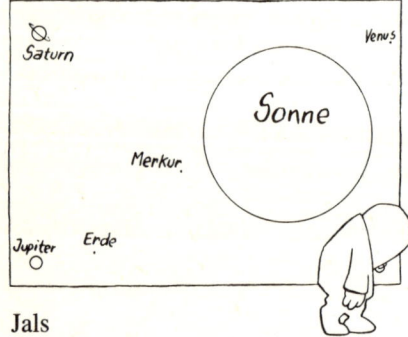

Jals

5.11 Herr, unser Herrscher

Herr, unser Herrscher, wie herrlich ist dein Name in allen Landen; du, den man lobet im Himmel!
Herr, ist das wahr? Wird dein Name nicht vielmehr mißachtet?
in allen Landen, in Rußland, in China, in Amerika, in Europa, in Deutschland?
Mißachtet, mißbraucht, vergessen?
Du, den man lobet im Himmel.
Im Himmel – wo ist denn der Himmel?
Aus dem Munde der jungen Kinder und Säuglinge hast du eine Macht zugerichtet um deiner Feinde willen, daß du vertilgest den Feind und den Rachgierigen.
In Südafrika sterben dreiundzwanzig Prozent aller eingeborenen Kinder, ehe sie das erste Lebensjahr erreicht haben.
In Indien sind es noch mehr.
Von China wissen wir es nicht. Wir ahnen es nur.
Sie sind die Ohnmächtigen, die Kinder,
und sie werden von den Feinden vertilgt:
Hunger, Krankheit, Einsamkeit, Unrecht.
Das sind die Feinde, die auch schon Kinder vernichten.
Wenn ich sehe die Himmel, deiner Finger Werk,
so sehe ich dort die Kondensstreifen der Flugzeuge,
die in mehr als zehntausend Meter Höhe fliegen,
den Mond und die Sterne, die du bereitet hast,
so denke ich an die Raketen, die abgeschossen werden,
um den Mond und die Sterne eines Tages zu erreichen.
Was ist der Mensch, daß du sein gedenkst,
und des Menschen Kind, daß du dich seiner annimmst?
Ja – was ist der Mensch?
Eine Fehlkonstruktion, ein Übermensch, ein Forscher, ein Entdecker, ein Abenteurer, eine Hölle?
Du bist so ferne, Herr,
vom Angenommensein reden die Frommen, die ihres Glaubens leben.
Aber wir, die wir diese Welt vor Augen haben und unseren Alltag, wir fragen:

Wo hast du uns angenommen?
Wie hast du uns angenommen?
**Du hast ihn wenig niedriger gemacht denn Gott,
und mit Ehre und Schmuck hast du ihn gekrönt.**
Wir sehen nichts davon.
Ehre und Schmuck sind uns abhanden gekommen.
Statt dessen haben wir Moden aus Paris, Wien, Berlin,
Make-up aus USA, Schuhe aus Italien, Perlen aus Japan,
Pelze aus Alaska.
Und wir haben noch etliche gekrönte Häupter in Europa!
Darauf sind wir stolz, das gibt's nur noch bei uns –
aber es sind wenige.
**Du hast ihn zum Herrn gemacht über deiner Hände Werk,
alles hast du unter seine Füße getan:**
Sind wir nicht Knechte geworden?
Knechte der Arbeit, Knechte des Vergnügens,
Knechte des Geldes, Knechte der Hetze.
Es ist nicht unter unsern Füßen, es kommt über uns:
Angst, Begehren, Sorge, Eitelkeit, Egoismus, Haß.
**Schafe und Ochsen allzumal, dazu auch die wilden Tiere,
die Vögel unter dem Himmel und die Fische im Meer und
was im Meer gehet.**
Herr, die Tiere haben wir beinahe abgeschafft,
Nylon und Perlon ersetzen uns die Wolle,
unsere Bauern pflügen mit Traktoren und ernten mit
Mähdreschern.
Die wilden Tiere müssen in Reservaten
vor unserer Jagdlust geschützt werden.
Die Vögel unter dem Himmel finden beinahe keinen
Nistplatz mehr,
und die Fische in Flüssen und Seen
sterben an der Verschmutzung der Gewässer.
Im Meer – ja im Meer, da hat's noch Platz.
**Herr, unser Herrscher, wie herrlich ist dein Name in allen
Landen.**
Ach, Herr, wir möchten so gerne einstimmen in dieses Lob,
aber wir können es nicht.
Was sollen wir tun? Was sollen wir denn tun?

Hanna Keyler

^{1} *Hallelujah!*
Lobet den Herrn vom Himmel her,
lobet ihn in den Höhen!
^{2} *Lobet ihn, all seine Engel,*
lobet ihn, alle seine Heerscharen!
^{3} *Lobet ihn, Sonne und Mond,*
lobet ihn, ihr leuchtenden Sterne!
^{4} *Lobet ihn, ihr Himmel aller Himmel,*
und ihr Wasser über der Feste!
^{5} *Sie sollen loben den Namen des Herrn;*
denn er gebot, und sie waren geschaffen.
^{6} *Er stellte sie fest auf immer und ewig;*
er gab eine Ordnung, die übertreten sie nicht.
^{7} *Lobet den Herrn von der Erde her, ihr Ungetüme und*
Fluten alle!
^{8} *du Feuer und Hagel, Schnee und Rauch,*
du Sturmwind, der sein Wort ausrichtet!
^{9} *ihr Berge und Hügel allzumal,*
ihr Fruchtbäume und Zedern alle,
^{10} *ihr wilden Tiere und ihr zahmen,*
du Gewürm und ihr, beschwingte Vögel!
^{11} *Ihr Könige der Erde und all ihr Völker,*
ihr Fürsten und Richter der Erde zumal,
^{12} *ihr Jünglinge und ihr Jungfrauen alle,*
ihr Greise mitsamt den Kindern!
^{13} *Sie sollen loben den Namen des Herrn;*
denn sein Name allein ist erhaben,
seine Hoheit geht über Erde und Himmel.
^{14} *Er wird das Horn seinem Volk erhöhen –*
ein Ruhm für all seine Frommen,
für die Söhne Israels, das Volk, das ihm nahesteht,
Hallelujah!

Psalm 148

5.12 Singt das Lied der Freude

1. Singt das Lied der Freu - de ü - ber Gott!
Lobt ihn laut, der euch er - schaf - fen hat.
Preist ihn, hel - le Ster - ne, lobt ihn, Son - ne, Mond,
auch im Welt - all fer - ne sei - ne Eh - re wohnt.
Singt das Lied der Freu - de ü - ber Gott!

2. Singt das Lied der Freude über Gott! Lobt ihn laut, der euch erschaffen hat.
Preist ihn, ihr Gewitter, Hagel, Schnee und Wind.
Lobt ihn, alle Tiere, die auf Erden sind: Singt das Lied der Freude über Gott!

3. Singt das Lied der Freude über Gott! Lobt ihn laut, der euch erschaffen hat.
Stimmt mit ein, ihr Menschen, preist ihn, groß und klein;
seine Hohheit rühmen soll ein Fest euch sein: Singt das Lied der Freude über Gott!

Text: Psalm 148, nach der Übersetzung von Jörg Zink von Dieter Hechtenberg
Melodie: Dieter Hechtenberg
Aus: „111 Kinderlieder zur Bibel". Verlag Ernst Kaufmann, Lahr und Christophorus-Verlag, Freiburg i. Br.

5.13 Die Erde ist wie ein Zelt

Ich möchte beten können, so wie ich es als Kind gelernt habe,
ich möchte glauben können, daß du groß bist, Herr.
Von ganzem Herzen möchte ich bejahen können,
daß du mit menschlichen Begriffen nicht zu fassen bist,
und dennoch nahe jedem, der dich sucht.
Den Himmel hast du wie ein Zelttuch ausgespannt,
die Menschen sollten auf der Erde wohnen wie in deinem Zelt;
doch wir befürchten, daß dies Zelt zu klein geraten ist,
wir haben Platzangst, wir, deine 3 Milliarden, 6 Milliarden,
10 Milliarden Kinder.
Noch unsere Väter sahen dich auf Wolkenwagen fahren,
sahen dich reiten auf dem Rücken des Windes.
Wir fürchten den Wind,
der Wolken Atomstaubs über die Länder der Erde treibt.
Der Sturm ist dein Bote, der zuckende Blitz dein Diener,
so heißt es im Psalm.
Wir werden im Fernsehen Zeugen der Sturmflut,
die Tausenden Tod und Hunderttausenden Obdachlosigkeit bringt.
Die Alten erlebten die Erde als deine Gründung,
die nicht zu erschüttern ist.
Wir aber haben das unangenehme Gefühl, auf einem Pulverfaß zu
sitzen,
an das die brennende Lunte ‚Revolution‘ sich unaufhaltsam heran-
frißt.
Du hast das Meer in seine Schranken gewiesen, du ließest Berge
und fruchtbares Land entstehen, Quellen und Flüsse,
Bäume und Sträucher, reichliche Nahrung für Mensch und Tier.
So klingt es in den Hymnen der Väter.
Wir aber sehen auch, was du uns nicht gegeben hast:
die Fähigkeit, die Güter deiner Erde richtig zu verteilen.
Brot, das den Hunger stillt, besitzt von dreien einer,
Wein, der das Herz erfreut, ist für die allermeisten unbekannt.
Die Wälder haben wir entlaubt durch Pflanzengifte,
die Tiere vergiftet durch die Produkte unserer Zivilisation.
Vielleicht sind wir nahe daran, an unseren eigenen Werken
zugrunde zu gehen.   *Diethard Zils*

5.14 Lobet den Herrn, ihr Nebelflecke

Lobet den Herrn
    ihr Nebelflecke, Staubkörnchen gleich auf der Fotoplatte.
Lobet den Herrn
    Sirius und seine Gefährtin,
    Arktur, Aldebaran und Antares.
Lobet den Herrn
    ihr Meteoriten,
    elliptische Bahnen der Kometen
    und künstliche Planeten.
Lobet den Herrn
    Atmosphäre und Stratosphäre,
    Röntgenstrahlen und Hertzsche Wellen.
Lobet den Herrn
    Atome und Moleküle,
    Protonen und Elektronen,
    Protozoen und Radiolarien.
Lobet den Herrn
    Walfische und Atom-U-Boote.
Lobet den Herrn
    Vögel und Flugzeuge.
Lobet den Herrn
    sechseckige Schneekristalle
    und smaragdene Prismen des Kupfersulfats
    unterm Elektronenmikroskop,
    fluoriszierende Blumen auf dem Meeresgrund,
    Kieselalgen, diamantenem Halsband gleich,
    Diadem der Antillen,
    Anurida maritima und Ligia exotica.
Lobet den Herrn
    Wendekreis des Krebses und nördlicher Polarkreis,
    Stürme des Nordatlantiks und der Humboldtstraße,
    ihr dunklen Urwälder des Amazonas,
    und ihr, Südseeinseln,

Vulkane und Lagunen,
und du, Mond der Karibischen Inseln,
hinter den Silhouetten der Palmen.
Lobet den Herrn
ihr demokratischen Republiken und Vereinten Nationen.
Lobet den Herrn
ihr Polizisten, Studenten und hübschen Mädchen.
Sein Ruhm übertrifft Himmel und Erde,
Teleskope und Mikroskope.
Er hat sein Volk groß gemacht
und Israel zu seinem Verbündeten.
Halleluja!

Ernesto Cardenal

5.15

Bei der Wahrheit des höchsten Namens,
Gestochen auf Salomos Siegel!
„Ehre sei Gott für das bunte Gewirr
    der Dinge"!

Teilchen kosmischer Strahlung
Einbrechend ins
Vermeintliche Kontinuum
Deiner Gewißheit:

Aberweise Vermutungen über Vögel,
Deren Flügelschlag die Windstille stört.

Unerhörte Gerüchte
Über die endgültige Bestimmung des Sandes.

Orakel,
Heil kündend und Vernichtung
(Heil, das vernichtet, Vernichtung, die heilt)!

Umwerfende Proklamationen des Lebens!

Franz Fassbind

5.16 stachel

es lobt
die lust eines vogels
im sturzflug den falter zu pflücken
den vater aller geschöpfe

> lobt
> der falter
> ihn auch?

es lobt
die lust einer katze
im spiel das mäuschen zu killen
den gott allen lebens

> lobt
> das mäuschen
> ihn auch?

es lobt
die lust eines seesterns
das muscheltier lebendig zu schlürfen
den lenker aller geschicke

> lobt
> das muscheltier
> auch?

Kurt Marti

5.17 Großer Dankchoral

1
Lobet die Nacht und die Finsternis, die euch umfangen!
Kommet zuhauf
Schaut in den Himmel hinauf:
Schon ist der Tag euch vergangen.

2
Lobet das Gras und die Tiere, die neben euch leben und
   sterben!
Sehet, wie ihr
Lebet das Gras und das Tier
Und es muß auch mit euch sterben.

3
Lobet den Baum, der aus Aas aufwächst jauchzend zum
   Himmel!
Lobet das Aas
Lobet den Baum, der es fraß
Aber auch lobet den Himmel.

4
Lobet von Herzen das schlechte Gedächtnis des Himmels!
Und daß er nicht
Weiß euren Nam' noch Gesicht
Niemand weiß, daß ihr noch da seid.

5
Lobet die Kälte, die Finsternis und das Verderben!
Schauet hinan:
Es kommet nicht auf euch an
Und ihr könnt unbesorgt sterben.

Bertolt Brecht

[1] *Hallelujah!*
Lobe den Herrn, meine Seele!
[2] *Ich will den Herrn loben, solange ich lebe,*
will meinem Gott singen, solange ich bin.
[3] *Verlasset euch nicht auf Fürsten,*
nicht auf den Menschen, bei dem doch keine Hilfe ist.
[4] *Fährt sein Odem aus, so kehrt er wieder zur Erde,*
und alsbald ist's aus mit seinen Plänen.
[5] *Wohl dem, dessen Hilfe der Gott Jakobs,*
dessen Hoffnung der Herr, sein Gott, ist,
[6] *der Gott, der Himmel und Erde gemacht hat,*
das Meer und alles, was in ihnen ist,
der ewiglich Treue hält,
[7] *der Recht schafft den Unterdrückten,*
der den Hungernden Brot gibt.
Der Herr erlöst die Gefangenen,
[8] *der Herr öffnet den Blinden die Augen,*
der Herr richtet die Gebeugten auf,
der Herr liebt die Gerechten.
[9] *Der Herr behütet den Fremdling,*
Waisen und Witwen hilft er auf,
doch in die Irre führt er die Gottlosen.
[10] *Der Herr wird herrschen in Ewigkeit,*
dein Gott, o Zion, von Geschlecht zu Geschlecht!

Psalm 146

5.18 Torschlußpanik? Kein Bedarf!

Ich will jetzt den Herrn loben
und nicht erst, wenn der Tod mich zeichnet.
Baut nicht auf die Großen dieser Welt!
Menschen bringen die Erlösung nicht.
Selig, wer den Herrn zum Helfer hat;
Jakob schon trug dieses Glück davon.

Der ist sicherlich auch mir zum Heil,
der einst Tausenden das Brot vermehrte,
der den Blinden wieder schauen ließ
und den Aussatz zu vertilgen wußte.

Seit der Taufe gingst du auf mich ein;
Herr, da soll nicht erst das Ende passen.
Nicht erst später, mit verbrauchter Kraft,
Jetzt schon will ich dein Vertrauter sein.

Winfrid Schiffers (nach Psalm 146)

5.19 Lob und Protest

Halleluja!
Loben will ich den Herrn.
Nicht nur mit meinem Herz.
Nicht nur mit meinem Mund.
Nicht nur auf dem Papier.
Loben will ich ihn
mit meinem ganzen Leben.

Heraus aus dem Netz der Gewalt,
heraus aus dem Grab der Not,
heraus aus dem Gitter der Knechtschaft
führt der Weg.
Eine Straße des Friedens.

Wir selbst,
werden wir den Weg des Friedens gehen?
Auf Mehrheiten und Machthaber
ist kein Verlaß.

Wohl dem,
der Hoffnung hat,
daß Leben bleibt
und Überleben möglich wird,
weil einer fürs Leben
Partei ergreift.
Wohl dem,
der diesem mehr vertraut
als den neuen Göttern,
die sich Experten nennen.
Wohl dem,
der Unrecht Unrecht nennt
und Gewalt
ins Leere laufen läßt.
Wohl dem,
der austeilt,
um die Not zu teilen.

Loben wollen wir den Herrn,
der Gefängnistore öffnet
und keinen im Dreck liegen läßt,
der das Recht bei den Schwachen sucht
und Minderheiten nahekommt.

Ihn loben und protestieren
gegen Mächte in Kirche und Welt,
die solches Lob nicht zulassen.
Um ihrer und unserer Zukunft willen
loben wir den Herrn.
Den Weg seines Friedens
werden wir gehen.

Jo Krummacher

5.20

1. Aber am achtzehnten Tag schuf Gott,
sei es im Zorn, sei es aus Nachlässigkeit,
den Kapitalismus.
Und wurde daraus ein eiserner Engel,
mächtig gestreckt über Kontinente,
leidend an Freßlust und Schwachsinn,
scheißend Napalm und Bomben,
wie er gerade sich dreht.

2. Und frißt von den Völkern die Saat und Ernte
und reißt in ihr Fleisch,
so sie's verweigern.

3. „Zipperlein Unvernunft!" sagen die Ärzte.
„Wird dran krepieren, der Wanst!" sagen die Leute.
Manche Völker schon,
aufbegehrend,
jagten ihn fort
aus Fabriken und Häusern und von dem Land.

4. Er aber fühlt seine Krankheit
und schlägt mit doppelter Pranke
und zeigt sein Antlitz den Menschen,
daß sie erschrecken sollen in Furcht.

5. Denn zwar: Gott schuf,
wenn man den Chroniken glauben darf,
den Kapitalismus.
Abschaffen wird er ihn nicht.
Achtend auf Arbeitsteilung
hat er das uns überlassen.

6. (Wenn er überhaupt soweit gedacht hat,
der alte Schlaukopf!)

Dieter Süverkrup

39

²⁰ *Da griff die Prophetin Mirjam, Aarons Schwester, zur Handpauke, und alle Frauen zogen hinter ihr her mit Handpauken und im Reigen.* ²¹ *Und Mirjam sang ihnen vor:*

  Singet dem Herrrn,
    denn hoch erhaben ist er:
  Roß und Reiter warf er ins Meer.

Exodus 15,20 f.

5.21 intonation

    Singet dem herrn
    der nie eine uniform trägt
    der nie eine waffe ergreift
    der tote zum leben erweckt

    singet dem herrn
    der nie einem fahnentuch traut
    der nie an parolen sich hängt
    der feinde als brüder entlarvt

Kurt Marti

Azariah Mbatha: Durchzug durch das Rote Meer

5.23 Lobgesang

Du bist mein herr! wenn du auf meinem weg·
Viel-wechselnder gestalt doch gleich erkennbar
Und schön · erscheinst beug ich vor dir den nacken.
Du trägst nicht waffe mehr noch kleid noch fittich
Nur Einen schmuck: ums haar den dichten kranz.
Du rührest an – ein duftiger taumeltrank
Befängt den sinn der deinen odem spürt
Und jede fiber zuckt von deinem schlag.
Der früher nur den Sänftiger dich hiess
Gedachte nicht dass deine rosige ferse
Dein schlanker finger so zermalmen könne.
Ich werfe duldend meinen leib zurück
Auch wenn du kommst mit deiner schar von tieren
Die mit den scharfen klauen mäler brennen
Mit ihren hauern wunden reissen · seufzer
Erpressend und unnennbares gestöhn.
Wie dir entströmt geruch von weicher frucht
Und saftigem grün: so ihnen dunst der wildnis.
Nicht widert staub und feuchte die sie führen
Kein ding das webt in deinem kreis ist schnöd.
Du reinigst die befleckung · heilst die risse
Und wischst die tränen durch dein süsses wehn.
In fahr und fron · wenn wir nur überdauern ·
Hat jeder tag mit einem sieg sein ende
So auch dein dienst: erneute huldigung
Vergessnes lächeln ins gestirnte blau.

Stefan George

5.24 Weitergedachte und weitergesungene Mirjam-Lieder

Singet Jahwe,
denn er zeigt seine Macht.
Die Starken stürzt er zu Boden.
Die Schwachen hebt er auf.

Singet Jahwe,
denn er zeigt seine Macht.
Den Knechtern bindet er die Hände.
Die Gebundenen führt er frei.

Singet Jahwe,
denn er zeigt seine Macht.
Den Männern bricht er das Übergewicht.
Den Frauen stärkt er die Stimme.

Singet Jahwe,
denn er zeigt seine Macht.
Spieße schmiedet er um.
Aus Schwertern macht er den Pflug.

Singet Jahwe,
denn er zeigt seine Macht.
Aus der Maske des Krieges zieht er aus.
Das Antlitz des Friedens nimmt er an.

Singet Jahwe,
denn er zeigt seine Macht.
Feindbilder löst er auf.
Ägypter und Hebräer macht er zum Freund.

Singet Jahwe,
denn er zeigt seine Macht.
Das Horn der Verheerung läßt er verstummen.
Dem Tamburin gibt er den Klang.

Wolfgang Dietrich

5.25 Gott oder die Güte ist relativ

Diese Geschichte ist sehr kurz und einfach; sie bietet nur einen Ausgangspunkt, eine Frage und die Moral.

Der Ausgangspunkt:
Der Psalmist sagt vom Herrn (Psalm 136,10 und 15): er habe Ägypten an ihren Erstgeburten geschlagen – denn seine Güte währet ewiglich; er habe Pharao und sein Heer ins Schilfmeer gestoßen – denn seine Güte währet ewiglich.

Die Frage:
Was denken Ägypter und der Pharao über die Barmherzigkeit Gottes?

Die Moral:
Barmherzigkeit und Wohltätigkeit kann es nicht für alle zugleich geben. Wenn wir diese Worte in den Mund nehmen, so laßt uns immer hinzufügen: für wen. Und wenn wir den Völkern Wohltätigkeit erweisen, so laßt sie uns auch fragen, wie sie über dieses Thema denken.
Beispiel: Ägypten.

Leszek Kolakowski

5.26

Die Rabbiner lehren, daß die Engel das große Loblied zusammen mit den Israeliten singen wollten, nachdem Israel gerettet war: »Siehe doch. Herr: Deine Kinder sind gerettet!« Aber Gott zürnte und sagte: »Meine Kinder Israel sind gerettet, aber meine Kinder Ägypten sterben! Wie könnt ihr Loblieder singen, wenn meine Kinder sterben!«, und der Engelchor schweigt.

Nach Rabbiner Albert H. Friedlander

Paul Klee: Vergeßlicher Engel

Mirjam singt.
Aus Lust am Untergang der Ägypter?
Das wäre wohl ein finsteres Lied.

Mirjam singt.
Aus Begeisterung über Jahwes Kriegsgewalt?
Das wäre wohl ein bedrückendes Lied.

Mirjam singt.
Aus Betroffenheit
über den Sturz der Verfolger?
Das wäre wohl ein ehrliches Lied.

Mirjam singt.
Unter dem Schock, endlich befreit zu sein?
Das wäre wohl ein spontan ergreifendes Lied.

Mirjam singt.
In der Gewißheit, daß Pharao-Rüstungen
überaus nichtig sind?
Das wäre wohl
ein heute neu zu singendes Lied.

Mirjam singt.
Im Bewußtsein,
daß Gott gleich Hilfe für Unterdrückte ist?
Das wäre wohl
ein in alle Zukunft bewegendes Lied.

Wolfgang Dietrich

¹ Ein Psalm.
Singet dem Herrn ein neues Lied!
Denn er hat Wunder getan;
seine Rechte hat ihm geholfen,
sein heiliger Arm.
² Der Herr hat kundgetan seine Hilfe,
seine Gerechtigkeit offenbart vor den Augen der Völker.
³ Er hat seiner Gnade gegenüber Jakob gedacht,
seiner Treue gegen das Haus Israel;
alle Enden der Erde haben geschaut
unsres Gottes Hilfe.
⁴ Jauchzet dem Herrn, alle Lande!
Brecht in Jubel aus und spielt!
⁵ Spielt dem Herrn auf der Harfe,
auf der Harfe mit lautem Gesang!
⁶ Bei Trompeten- und Hörnerschall
jauchzt vor dem König, dem Herrn!
⁷ Es donnere das Meer und was es erfüllt,
der Erdkreis und die darauf wohnen!
⁸ Die Ströme sollen in die Hände klatschen
und die Berge allzumal jubeln
⁹ vor dem Antlitz des Herrn; denn er kommt,
die Erde zu richten.
Er richtet den Erdkreis gerecht
und die Völker getreu.

Psalm 98

5.29 Jubelt nicht unbedacht

Singet dem Herrn ein neues Lied,
denn er hat Wunder getan
und tut sie noch.

Alles, was er wollte, hat er wahrgemacht,
wer ihm recht ist, muß ihm dienen,
niemand kann ihm widerstehen.
Wer ihn kennt und bekennt,
dem hält er die Treue,
die Welt hat's gesehn.
Allen Völkern zeigt er, was Gerechtigkeit ist.

Ihr Menschen auf der Erde,
jubelt nicht unbedacht
heute dem und morgen jenem zu!
Der Herr aller Herren hat euch geschaffen,
es ist Zeit, ihn zu rühmen.
Wer singen kann, singe,
wer nicht singen mag, klopfe den Takt,
wer Gitarre spielt, schlage die Saiten.
Mit Baß, Posaunen und Trompeten
bringt ein Danklied dem Herrn aller Herren.

Ozeane, Teiche, Tümpel, auf zum Tanz!
Auf, ihr Flüsse aller Kontinente,
Bäche, plätschert, Flüsse, braust!
Auf! Laßt euern Beifall rauschen!
Festland, rede in tausend Sprachen,
freu' dich deiner vielen Völker,
gelb und rot und schwarz und weiß.

Der Herr wird kommen,
die Völker zu regieren.
Der Herr aller Herren
wird kommen zur Zeit.   *Arnim Juhre*

5.30 Jubelt alle Wörter
      freut euch und singt
      jubelt mit Saitenspiel
      singt und spielt
      auf der Harfe
      jubelt mit Hörnern
      und Posaunen
      preiset unsern Gott
      ihr tauben
      abgegriffenen
      irgendwo aufgelesenen
      Wörter
      schon daß ihr jubelt
      es brause dazu das Meer
      es erdröhne dazu die Erde
      mit allem was lebt
      es klatsche Beifall
      das Wasser in den Flußläufen
      kein Gebirge hält sie mehr auf
      du bist angekommen

                Wilhelm Gössmann

5.31 Ich werde an den Rand gehn,
      an den Rand der Erde
      und die Ewigkeit schmecken.
      Ich werde die Hände anfüllen mit Erde
      und meine Wörter sprechen,
      die Wörter, die zu Stein werden auf meiner Zunge,
      um Gott wieder aufzubauen,
      den großen Gott,
      den alleinigen Gott,
      den Vater meiner Kinder,
      am Rand der Erde,
      den uralten Vater,
      am Rand der Erde,
      im Namen meiner Kinder.

                Thomas Bernhard

                                    49

Ehre sei Gott in den Höhen
und Friede auf Erden
unter den Menschen,
   an denen Gott Wohlgefallen hat.

Lukas 2,14

5.32

Der alte Tomás Peña fragt: – Waren diese anderen Engel, die erst später nach dem ersten Engel kamen, zurückgeblieben, weil sie einen längeren Weg hatten, oder hatte Gott sie vielleicht noch nicht erleuchtet?

Ich: – Vielleicht hatten die Hirten sie noch nicht gesehen. Zuerst spricht ein Engel, und dann hören sie plötzlich auch andere . . .

Tomás: – Ja, das ist wie hier: Wir hören alle, aber wir verstehen nicht alles sofort. So hatten sie den einen Engel gehört und nicht auf die anderen geachtet.

Don Julio Chavarría: – In diesem Augenblick war Frieden auf Erden durch die Geburt des Kindes, und darüber freute man sich im Himmel. Ich glaube, das ist es, was die Engel singen.

Edgard, ein junger Mann, der Franziskanermönch gewesen war und der jetzt bei uns zu Besuch ist: – Gott kann im Himmel nicht gelobt werden, solange es auf der Erde keinen Frieden gibt – das heißt Gerechtigkeit, Brüderlichkeit, Gleichheit. Das alles ist Frieden. Die Reichen glauben oft, sie lobten Gott, aber sie halten keinen Frieden und üben keine Gerechtigkeit. Darum loben sie Gott auch nicht wirklich, denn beides geht Hand in Hand.

William: – Liebe und Friede auf Erden, das ist die wirkliche Ehre Gottes.

Evangelium der Bauern von Solentiname

5.33 Weihnachtspsalm

preise den rhythmus gebogener räume
    gestirne entwandernd ins all

preise die dunkelstürze von meeren
    der mondgebirge fata morgana

preise den sonnensabbat
    das kosmische fest

preise den tödlichen ernst
    der heimkehrt ins göttliche spiel

preise den gott im bauche des mädchens
    den heiligen embryo besserer zukunft

preise mohammed und marx
    im gespräch einst an fröhlicher tafel

preise auch buddha und einstein
    die geige im baum das abendgelächter

preise den glanz der weihnachtsbäume
    die freiheitsbäume geworden

preise die häresien der liebe
    und ihre auferstehung vom tod

preise den mut im astronautischen herzen
    die kühnen revolten göttlicher hoffnung

preise die ersten schreie des kindes im trog
    des mannes tod der das töten entrechtet

preise den tag da der bruder aus nazareth tanzt
    unter brüdern der endlich klassenlosen gesellschaft

preise den sommer der heiß sich verströmt
    wenn weihnachten ausbrechen wird auf erden

Kurt Marti

5.34 Ehre sei Gott in der Tiefe

... Und in derselben Gegend waren Menschen auf der
Wacht, die hüteten ihre armseligen Hoffnungen ...

Einige aber gab es,
die die Klarheit des Herrn erleuchtete.
Und sie begannen in der Finsternis zu erkennen,
was Gott getan hatte:
Er war zu ihnen gekommen
in der unscheinbaren Gestalt eines Menschen.
Da fürchteten sie sich nicht mehr,
nicht vor Krisen und düsteren Aussichten,
nicht vor der Bosheit anderer Menschen,
nicht vor der Macht des Stärkeren,
nicht vor Einsamkeit und Sinnlosigkeit.
Denn ihnen war Gottes Liebe geschenkt.

Da waren einige,
die die Klarheit des Herrn erleuchtete.
Und sie erkannten, daß Gott Jesus gesandt hat,
Frieden zu stiften
und zusammenzuführen, was getrennt war.
Sie erkannten, daß Jesus gekommen war,
sich nicht von Süchtigen und Ausgeflippten,
von Huren und gescheiterten Existenzen
entrüstet abzuwenden,
sondern mit ihnen zu Tische zu sitzen,
weil Vergebung so aussieht.
Sie erkannten, daß Jesus gekommen war
zu den Opfern menschlicher Gleichgültigkeit,
zu den Besiegten und Überrundeten.

Und alsbald war da bei den Menschen,
die auf der Schattenseite des Lebens stehen,
die Menge der Revolutionäre,
die priesen die Revolution und sprachen:
Ehre sei Marx in der Höhe seiner Erkenntnis
und Umwälzung aller Verhältnisse auf Erden!

Kampf den Kapitalisten, Krieg den Palästen
und Friede den Hütten
und den Menschen ein sozialistisches Paradies
und ein Wohlgefallen nach der Regel:
Jedem nach seinen Fähigkeiten,
jedem nach seinen Bedürfnissen.

Und alsbald war da bei den Menschen,
die sich durch das Evangelium oder durch Ideologien
beunruhigt und gestört fühlten,
die Menge der Konsumstrategen,
die priesen das Wirtschaftswachstum und sprachen:
Ehre sei dem Wohlstand in der Höhe,
die wir erreicht haben,
und ein fröhliches Vergessen auf Erden
durch reichlichen Einkauf.
Friede auf Erden und in den Familien
durch Farbfernseher und Stereoanlagen,
und den Menschen ein Wohlgefallen
durch elektrifizierte Küchen
und Iß-dich-schlank-Tiefkühlkost.

Und alsbald war da bei den Menschen,
die auf der Schattenseite des Lebens stehen,
eine Menge von Christen,
die lobten Gott und sprachen:
Ehre sei Gott in der Höhe und Friede auf Erden
und den Menschen ein Wohlgefallen!
Ehre sei auch
Gott in der Tiefe,
Gott in der Krippe,
Gott auf der Flucht und in Gefängnissen.
Ehre sei Gott in den Krankenstuben und Altenheimen,
in den Wohnungen voller Streit und Suff.
Ehre sei Gott auch in den Kirchen und Gasthäusern.
Denn er bringt Frieden
und zahlt auf Erden den Preis, den er kostet:
Armut, Leiden und Tod.

Manfred Fischer

5.35

1. Eh - re sei Gott in der Hö - he, wo kei - ner mit Fü - ßen tritt, wo Men - schen Lie - be ü - ben. Eh - re sei Gott auf der Er - de. Hal - le - lu - ja. Hal - le - lu - ja.

2. Ehre sei Gott in der Höhe,
   wo keiner mit Fäusten droht,
   wo Menschen Frieden suchen.
   Ehre sei Gott auf der Erde;
   Halleluja. Halleluja.

3. Ehre sei Gott in der Höhe,
   wo einer sich selbst vergißt,
   wo Menschen Brot verteilen;
   Ehre sei Gott auf der Erde;
   Halleluja. Halleluja.

Text: Hans-Jürgen Netz. Melodie: Peter Janssens
Aus: Ehre sei Gott auf der Erde, 1974. Peter Janssens Musik-Verlag, Telgte

¹ Der Herr ward König!
Es frohlocke die Erde,
es sollen sich freuen die vielen Gestade!
² Wolkendunkel ist rings um ihn her;
Recht und Gerechtigkeit ist seines Thrones Stütze.
³ Feuer geht vor ihm her
und sengt rings seine Feinde hinweg.
⁴ Seine Blitze erhellen den Erdkreis,
die Erde sieht es und bebt.
⁵ Berge zerschmelzen wie Wachs vor dem Herrn,
vor dem Antlitz des Herrn aller Welt.
⁶ Seine Gerechtigkeit verkünden die Himmel,
und alle Völker schauen seine Herrlichkeit.
⁷ Zuschanden werden alle, die den Bildern dienen,
die der Götzen sich rühmen.
Vor ihm beugen sich die Götter alle.
⁸ Zion hört es und freut sich,
die Töchter Judas frohlocken,
o Herr, ob deiner Gerichte.
⁹ Denn du bist der Höchste über die ganze Erde,
bist hoch erhaben über alle Götter.
¹⁰ Der Herr hat lieb, die das Böse hassen,
er behütet die Seelen seiner Frommen;
aus der Hand der Gottlosen errettet er sie.
¹¹ Ein Licht erstrahlt dem Gerechten
und Freude den redlichen Herzen.
¹² Freut euch des Herrn, ihr Gerechten,
und preist seinen heiligen Namen!

Psalm 97

5.36 Alle Völker der Erde sollen sich freuen

Der Herr ist König!

Alle Völker der Erde sollen sich freuen.
Es gibt keinen besseren Gedanken unter den Menschen.

Obwohl verborgen vor den Mächtigen dieser Welt,
spüren die Armen seine Kraft.
Obwohl umgeben von rätselhaften Worten,
verstehen die Sprachlosen seine Rede.
Da wo Recht geschieht, erweist sich Gottes Gegenwart.
Da wo Gerechtigkeit regiert, wird sein Wille getan.

Wie ein Blitz trifft, so schlagen die Gedanken des Friedens bei
    den Menschen ein.
Wie vom Feuer verzehrt, so werden die Ergebnisse des Unfrie-
    dens vernichtet.

Die Christen verkünden die Gerechtigkeit Gottes.
Der Herr ist König!
Alle Völker der Erde sollen sich freuen.
Zuschanden werden sollen alle,
die in Schubladen und Aktenzeichen denken,
die die Menschen wie Klischees und Nummern behandeln,
die die Schöpfung Gottes zerstören.
Sie alle werden in ihre Schranken verwiesen.
Sie werden die Macht Gottes und die Freiheit seiner Menschen
    kennenlernen.
Sie werden das Böse hassen,
weil sie Gott liebgewonnen haben.
Sie werden als die Gerechten ein Zeichen für die Welt sein,
und ihre Freude wird auf alle ausstrahlen
wie eine ansteckende Gesundheit.

Der Herr ist König!
Alle Völker der Erde sollen sich freuen.
Es gibt keine bessere Nachricht unter den Menschen.

Uwe Seidel

5.37

du solltest dein schweigen brechen o herr
was sie von dir erzählen gefällt uns nicht
was sie von dir erzählen stinkt zum Himmel
was sie von dir erzählen
da bist du ein dreikäsehoch o herr
ein notgroschen mit schleudersitz
ein irrwisch im dienstanzug halten zu gnaden
ein spuk im läutewerk
ein enthemmter amtsleiter aus neupforza
ein tollwütiger sichtvermerk
ein feuertäufer mit blutandrang
ein fettnäpfchen mit zickiger lebensart
da kann ich mir kein bild noch gleichnis machen
selbst wenn sie mich öfter heimsuchen o herr
mir wär lieber
du hättest ein paar andere väter ausgesucht
. . .

ich will einen stein o herr
einen stein laß übrig
einen unberührten
einen stein aus stein
einen stein aus barmherzigkeit
einen reinen einzigen unwissenden stein
einen spürbaren stein der sich wärmt

ich leih ihn euch genossen
ich leih ihn her
ich will ihn euch dann mal leihen.   *Johannes Poethen*

Otto Dix: Die Verspottung

5.39 ode an niemand

dein rauchiges herz ist zeuge,
einziger könig, im wind
dein auge aus trauer.
du bist der gesell des zaubers,
erleuchtet von vielen wüsten,
von ungehorsam gekrönt.
du bist nicht gemodelt von zeit,
noch gesprenkelt von asche
ist deine getreue stirn.
du bist ein geist ohne narbe,
deine dünung ist feierlich,
du warst vordem, vollkommner
als der große schwebende rochen,
gesalbter, in deinem glanz,
todes quitt, könig.

aber du bist nicht fern und früh
oder spät, du bist hier.

dein gerechter blick fällt hin
wie ein schnee aus der luft
und wohnt auf den werften.
geht über sternwarten weg
in staubige fundbüros, ruht
in nassen zementkellern,
wo die mörder jauchen, fällt
auf die thrombosen und lunten,
auf schlachthöfe schmatzend
und wirre raffinerien,

wo das lachgas schwelt, ruht
auf den ränken der reedereien
und streift die kometen,
die karzinome der hohen finanz,
ruht auf den mauern der macht,
dahinter substanzen ticken
zum tod, und belagert sie,
bis deinem dröhnenden blick
anheim der himmel, verschimmelt
von fallschirmen, fällt.

unerkannt schreitest du,
schöne bö, nächtlich,
über den spanischen platz.

dein reich kehrt zu dir zurück,
verborgner, gläserner jäger.
in deiner großmut wirst du,
so wie den unschuldigen spargel,
dein ebenbild, das gezeichnete,
erbeuten, vergessen.

dein ist der ruhm und die rache,
nie behelligter fels, gesell
des zaubers, zeuge geheim

und einzig! dein windhaar,
dein barer blick weht hin
über dein altes künftiges reich,
und bewahrt im rauch,
was wahr ist, im wind auf.

Hans Magnus Enzensberger

5.40 Priez pour le pauvre Dieu

alter mann
wir ziehn deine zähne mit zangen
wir spulen deine zunge auf speichen
wir spülen die becken
wir holen die karren
wir fiebern dich aus

priez pour le pauvre dieu

alter mann
du nährst uns nicht mehr
du lehrst uns nicht mehr
du stolperst über die drähte
ungriffige fabeln dein mark

priez pour le pauvre dieu

alter mann
dich saugt
die luft aus regalen
dich kratzt der kamm aus den poren
wir kennen uns aus mit drogen
wir schicken dich einfach zurück
alter mann
wir wissen zuviel
wir wissen

priez pour le pauvre dieu

alter mann
wir decken dich zu mit decken
wir tragen dich ab mit trägern
wir schließen dein loch mit platten
wir schaufeln dich unter mit drinks

priez pour le pauvre dieu
Konrad Darnok

[1] Als aber das Volk sah, daß Mose so lange nicht vom Berge herabkam, sammelte es sich um Aaron und sprach zu ihm: Auf, mache uns einen Gott, der vor uns her ziehe; denn wir wissen nicht, was dem da zugestoßen ist, dem Mose, dem Mann, der uns aus dem Lande Aegypten heraufgeführt hat. [2] Aaron sprach zu ihnen: Reißt die goldenen Ringe ab, die eure Frauen, eure Söhne und Töchter an den Ohren tragen, und bringt sie zu mir her. [3] Da rissen sich alle Leute die goldenen Ringe ab, die sie an den Ohren trugen, und brachten sie zu Aaron. [4] Und er nahm [das Gold] aus ihrer Hand, goß es in eine Tonform und machte daraus ein gegossenes Kalb. Da sprachen sie: Das ist dein Gott, Israel, der dich aus dem Lande Aegypten heraufgeführt hat. [5] Als Aaron das sah, baute er einen Altar vor demselben und ließ ausrufen: Morgen ist ein Fest für den Herrn. [6] Und am andern Morgen in der Frühe opferten sie Brandopfer und brachten Heilsopfer dar; darnach setzte sich das Volk nieder, zu essen und zu trinken, und dann erhoben sie sich, um sich zu belustigen.

Exodus 32,1–6

5.41 ostertanzlied

Wir tan-zen, wir tan-zen, um das gold-ne Kalb tan - zen wir nicht.

Wir tan-zen, wir tan-zen, auf dem Vul- kan tan- zen wir nicht.

Wir tan- zen nicht um die Mäch-ti-gen, wir tan-zen nicht um die Präch-ti-gen.

Wir tan-zen vor dem Licht, das uns-re Nacht durch - bricht.

Es wer- de Licht, das die Nacht durch- bricht.

Es wer - de Licht, das die Nacht durch- bricht. (Fine)

1. Wir tan-zen, wir tan-zen mit dem Feu- er, das uns-re Schuld ver-brennt.

Wir tan-zen vor dem Ei-nen, der uns al-le kennt. (da Capo: Es werde Licht . . .
im Wechsel mit Vers 2-4)

Wir tanzen, wir tanzen vor dem Brot, das unsern Hunger
stillt.
Wir tanzen vor dem Wein, der uns mit Hoffnung füllt.

Es werde Licht . . .

Wir tanzen vor Einem, der die Lahmen zum Tanzen bringt.
Wir tanzen vor Einem, der im Tanz über den Schatten
springt.

Es werde Licht . . .

Wir tanzen, wir tanzen vor dem Licht,
das unsre Nacht durchbricht.
Wir tanzen auf der Erde, daß sie Himmel werde.

Es werde Licht . . .

Text: Wilhelm Willms
Musik: Peter Janssens

Aus: Ein Halleluja für dich, 1973
Rechte: Peter Janssens Musik Verlag, Telgte

5.42

Singt dem Befreier.
Wir bringen
unsere Stimmen.

Tanzt dem Befreier.
wir erheben
unsere Arme.

Preist den Befreier.
Wir schwingen
im hellen Chor.

Wolfgang Dietrich

²¹ Ich hasse, ich verschmähe eure Feste und mag nicht riechen eure Feiern. ²² Denn wenn ihr mir Brandopfer darbringt – an euren Gaben habe ich keinen Gefallen, und das Opfer eurer Mastkälber sehe ich nicht an. ²³ Hinweg von mir mit dem Lärm deiner Lieder! Das Spiel deiner Harfen mag ich nicht hören! ²⁴ Aber es ströme wie Wasser das Recht, und die Gerechtigkeit wie ein unversieglicher Bach!

Amos 5,21–24

5.43 Monolog eines Bischofs, der in einem Tunnel wohnt

Glücklich wir, für die die Armen geschaffen wurden,
jene verzweifelten Menschen, deretwegen
die Wohltätigkeit,
die guten Werke
und die Wiederauferstehung der Leiber erfunden wurden.
Glücklich wir, die Geretteten,
die wir beim Rosenkranzbeten
der Zeit nachträumen,
die zwischen Gebeten, Messen und Beerdigungen
    verstreicht;
den Advent
mit Wein,
die Karwoche
mit Sardinen
und die Fastenzeit unter Anteilnahme der Bevölkerung
    feiern.
Wir Glücklichen, wir segnen Brautpaare,
Wasserleitungen, Banken, Fabriken,

Funkstreifenwagen
und Maschinengewehre.
Glücklich wir, die Sanftmütigen,
die wir für Ordnung in unseren Pfarreien sorgen,
die wir feiern, daß von zweihundert Priestern
nur fünf an den Paraden des 10. Mai teilnahmen.
Glücklich wir,
die Freunde der Industriebosse und der Arbeitgeber,
Ratgeber der reichen Damen,
wir, die wir wohltätige Feste vorschlagen,
sterbende Bankiers beraten,
der Wirkung unserer Worte von der Kanzel aus
Nachdruck verleihen
und im stillen den Triumph der Ordnung
und der Bajonette in fernen Orten
feiern.
Ja, gesegnet sei unsere Fähigkeit,
noch das letzte Wort
der Manifeste zu lesen,
die von ungeduldigen Christen geschrieben wurden,
und unsere Gelassenheit, zusammen mit dem Präsidenten
während der Sitzungen des Rotary Clubs aufzutreten.
Oder die Geduld, die schmutzigen Kinder
der Kindergärten
in unseren Armen zu halten.
Gesegnet sei meine Einsamkeit,
meine freiwillige Zurückgezogenheit von der Welt,
die Ruhe, die in meinem sauberen Palast herrscht,
die Gewandtheit meiner Sekretäre,
mir die schmerzlichen Nachrichten zu verheimlichen,
und die Sorgfalt der Behörden, jene Slumbewohner
zu vertreiben,
die sich auf meinem Landgut eingenistet haben.
Gesegnet sei der Frieden, die herrschende Ordnung
und die Sanftmut unserer Brüder im Herrn,
mit der sie ihre Ohren vor

den Gerüchten von Revolten
und Revolutionen verschließen,
mit der sie jeden Tag Teile irgendeines frommen Buches
lesen,
und dem Beitritt
in die Christliche Arbeiterjugend
oder in die Katholische Universitätsjugend mißtrauen,
denn diese sind subversiv bis ins Mark
und haben aus ihren Lokalen die Heiligenbilder entfernt,
um dafür auffällige Plakate anzubringen,
deren Texte ich nicht wiedergeben möchte,
und sie feiern Gottesdienste mit Gitarren, Trompeten
    und Mandolinen.

Bärtige und Langhaarige
empfangen den Herrn
und gefährden ihre Seelen
bei der Lesung mehrdeutiger Evangelien,
die von unseren Doktoren und Theologen erklärt werden
    mußten;
und gesegnet sei die Erhabenheit meiner Predigten
und meine Geduld
und die blasse Schlichtheit
meiner öffentlichen Auftritte:
immer an der Seite des Präsidenten, eines Ministers
oder eines Botschafters
mit gutem Geschmack und klugem Denken,
verständnisvoll und väterlich
wie ein neuer Apostel.

Alfonso Chase

Absolute Unterernährung

Menschen mit weniger als 2000 Kalorien pro Tag (Existenzminimum)

Entwicklungsländer 25%   Südeuropa 3%   Afrika 25%

25% der Bevölkerung in
den Entwicklungsländern,
mindestens

Asien 28%   Lateinamerika
(ohne China)   13 %

462 Mio.
Menschen

sind unterernährt

Vgl. Amos 5, Vers 21–23

5.45 Andere Tänze sollen wir tanzen

Himmel und Erde, lobt den Herrn

Andere Lieder sollen wir singen,
feiern das Fest der Befreiung!
Andere Worte sollen wir sprechen,
feiern das Fest der Erlösung!
Andere Tänze sollen wir tanzen,
feiern das Fest der Errettung!
Der Herr hat an seinem Volk Gefallen,
wenn es auf der Seite der Unterdrückten steht.
Der Herr hat an seinem Volk Gefallen,
wenn es dem Menschen auf dem Weg in eine bessere
    Zukunft vorangeht.
Der Herr hat Freude am Gottesdienst seines Volkes,
wenn er nicht Flucht aus der Wirklichkeit ist.
Der Herr hat Freude am Gottesdienst seines Volkes,
wenn er Bestehendes kritisch in Frage stellt.
Der Herr hat Freude am Gottesdienst seines Volkes,
wenn er den Menschen Freiheit erfahrbar macht.
Der Herr hat Freude am Gottesdienst seines Volkes,
wenn er Mut zu neuen Wegen macht.
Dann haben auch die Menschen Freude am Gottes-
    dienst.
Halleluja!

Diethard Zils

^{1} „Danket dem Herrn,
denn er ist freundlich,
und seine Güte währet ewig."
^{2} So sollen sprechen die Erlösten des Herrn,
die er aus Drangsal erlöst hat;
^{3} die er aus den Ländern gesammelt,
vom Anfang her und vom Niedergang,
vom Norden her und vom Meer.
^{4} Die irre gingen in der Wüste, der Einöde,
und den Weg zur wohnlichen Stadt nicht fanden;
^{5} die hungrig und durstig waren,
daß ihre Seele in ihnen verzagte;
^{6} die dann zum Herrn schrieen in ihrer Not
und die er aus ihrer Drangsal errettete,
^{7} auf dem richtigen Wege führte,
daß sie zur wohnlichen Stadt kamen:
^{8} sie sollen dem Herrn danken für seine Güte
und für seine Wunder an den Menschenkindern,
^{9} daß er die lechzende Seele gesättigt
und die hungrige Seele mit Gutem gelabt hat.

^{10} Die in Dunkel und Finsternis saßen,
gebunden in Elend und Eisen,
^{11} weil sie den Geboten Gottes getrotzt
und den Ratschluß des Höchsten verachtet hatten;
^{12} deren Herz durch Mühsal gebeugt war,
die strauchelten, ohne daß einer aufhalf;
^{13} die dann zum Herrn schrieen in ihrer Not
und denen er aus ihrer Drangsal half;
^{14} die er aus Dunkel und Finsternis herausführte
und deren Bande er zerriß:
^{15} sie sollen dem Herrn danken für seine Güte
und für seine Wunder an den Menschenkindern,

¹⁶ *daß er die ehernen Pforten zerbrochen*
und die eisernen Riegel zerschlagen hat.

¹⁷ *Die krank waren ob ihres sündhaften Wandels*
und um ihrer Missetaten willen geplagt wurden,
¹⁸ *daß ihnen ekelte ob jeglicher Speise*
und sie schon nahe waren den Pforten des Todes;
¹⁹ *die dann zum Herrn schrieen in ihrer Not*
und denen er aus ihrer Drangsal half;
²⁰ *denen er sein Wort sandte, sie zu heilen,*
die er errettete aus ihrem Verderben:
²¹ *sie sollen dem Herrn danken für seine Güte*
und für seine Wunder an den Menschenkindern;
²² *sie sollen Opfer des Dankes darbringen*
und seine Werke mit Frohlocken erzählen.

²³ *Die in Schiffen das Meer befuhren*
und Handel trieben auf großen Wassern,
²⁴ *die dort die Werke des Herrn geschaut*
und seine Wunder in der Tiefe –
²⁵ *er gebot und ließ aufstehen den Wind,*
und es türmte die Wellen der Sturm;
²⁶ *sie fuhren hinauf zum Himmel, hinunter zur Tiefe,*
daß ihre Seele in Not verzagte;
²⁷ *sie tanzten und wankten wie Trunkene,*
mit all ihrer Weisheit war es zu Ende –
²⁸ *die dann zum Herrn schrieen in ihrer Not*
und die er aus ihrer Drangsal herausführte,
²⁹ *da er den Sturm zum Säuseln stillte,*
dass die Wellen des Meeres schwiegen;
³⁰ *die sich freuten, dass es stille geworden,*
und die er an das ersehnte Gestade führte:
³¹ *sie sollen dem Herrn danken für seine Güte*

und für seine Wunder an den Menschenkindern,
³² *sollen ihn erheben in der Gemeinde des Volkes*
und ihn loben im Kreise der Alten.

Psalm 107,1–32

5.46 Großes Dankgebet

Ich danke dir, Schwein, das ich gehabt, toi toi toi, dreimal auf
    Holz geklopft, wem soll ich sonst danken,
für den Zufall, Schwein, den Planetenaspekt, für die günstige
    Konstellation, dreimal auf Holz geklopft, von Uranus,
    Jupiter, Venus im Aszendenten meiner Geburtszeit,
für die Haut, die niveagetönte, die reingewaschene, kaum
    allergische Haut, ohne Körpergeruch und nicht, toi toi
    toi, gesprenkelt vom Grind asiatischer Narben,
für das Lachen in meinem Hals, weil ich, Schwein gehabt, der
    Querschnittgelähmte nicht bin, kein Mann aus Kam-
    bodscha, kein sibirischer Sträfling, kein Nigger in
    Kapstadt, nicht erschossen als Geisel in Guatemala
    oder in Bangkok,
für diesen mit Rumpsteak gefüllten Bauch, für das Rotkraut,
    die Pilze, die Preiselbeeren, den Wein, den ich jährlich
    und bis auf weiteres, dreimal auf Holz geklopft, am
    Glöckliberg, Gräflich Hohensteinscher Besitz, zu be-
    stellen gedenke,
für den Rülpser, der, Schwein gehabt, nicht kommt aus
    Magengeschwüren, nicht mal, toi toi toi, aus verengter
    Speiseröhre und nicht aus rachitischen Zähnen,
für die Frau, für ihren Halbtags-Job, für den Stolz der Familie,
    die reizenden Kinder, von denen keins, toi toi toi,

unter den Bus kam, auch keins mongoloid ist oder
tuberkulös und keins legasthenisch,

für das Bett, toi toi toi, kein Krankenhausbett, dort liegt der
Nachbar, Herr Strunz, denn die Leberzirrhose ging,
Schwein gehabt, genau ein Haus weiter,

für den unbescholtenen Namen, in keiner Gerichtsakte, dreimal auf Holz geklopft, registriert, wo doch dieser und
jener, selbst Hochrenommierte, was liest man nicht
alles,

für das Auto, den Urlaub, die Ansichtskarten, den Flug, toi toi
toi, nach Mallorca, für die Kur in Gastein, für Dubrov-
nik, für Isola Bella, für das Bier, die Pantoffeln, das
Fernsehn, den Illustriertenroman, für den Flirt in der
Düne von Kampen,

für unsre Regierung, Schwein gehabt, toi toi toi, für alle
beamteten Ordnungshüter, für Sitte und Anstand, für
Lohn, Dividende, für den Hang zur Natur, den Schre-
bergartenverein und, dreimal auf Holz geklopft, für
das Wohlwollen der lokalen Behörde,

für den Trost, wenn ich alt bin, die Rente, für das Sparkassen-
konto, die Unfall-, die Lebens-, die Sterbe-, die
Feuer-, die Hausrat-, die Glas-, die Haft-, die Unwet-
terschädenversicherung,

für den großartigen Stand der Wissenschaft, dreimal auf Holz
geklopft, für den Triumph der Computer, die Mond-
fahrt, die biologische Forschung, die Pille, die Sprit-
zen, die Rheumatabletten, für die Rettung, toi toi toi,
von Krieg und Atommüll, von Giftgas, überhaupt, für
Planung und Fortschritt,

für unsere Kirche, die, dreimal auf Holz geklopft, die Orgeln
instand hält, den Turm, die Glocken, die Klingelbeu-
tel, die austeilt Brot am Altar und Brot für die Welt, die
singet und lobet und die, toi toi toi, am Sarg der
erdrosselten Kinder, an meinem Sarg auch, das Wort
hat,

ich danke, nun ja, ich danke für den Verkehrsunfall, für den
Tod auf der B 98, ich danke, weil ich, der ich Schwein
gehabt, auf der B 23, toi toi toi, mit dem Schrecken
davonkam,

ich danke dir, nicht für die Hungersnot, nein, doch daß sie,
wenn schon, grassiert, toi toi toi, in achttausend Kilo-
meter Entfernung,

ich danke dir, alles in allem, daß ich, dreimal auf Holz
geklopft, daß ich ein Igel nicht bin auf der nächtlichen
Straße oder ein Rebhuhn, eine Katze, ein ausweglos in
den Schweinwerferstrahl gebanntes Kaninchen,

ich danke zum Schluß dir, gewiß doch, für mein Blumenge-
schäft, für Weihnachten, Ostern, Pfingsten, für Mut-
tertag, für Fronleichnam, für Heldengedenken, für
Allerseelen, für Totensonntag, für jedes Steinmal, für
jedes Grab, toi toi toi, das reichlich mit Kränzen, mit
Bändern geschmückt ist,

ich danke dir, Schwein, das ich gehabt, das ich wieder und
wieder gehabt, ich danke dir, toi toi toi, dreimal auf
Holz geklopft, wem soll ich sonst, soll ich sonst
danken?

Rudolf Otto Wiemer

Variationen zu Psalm 145

Von Horst Klaus Berg

5.47 Variation 1

ALLER AUGEN WARTEN AUF DICH
die augen des kindes aus bangla desh
die augen der mutter aus somalia
die augen des campesino aus solentiname
die augen des obdachlosen aus hamburg
die augen der sinti und roma von der landstraße
augen augen augen
UND DU GIBST IHNEN SPEISE ZUR RECHTEN
   ZEIT
meinst du herr daß sie so lange warten können?
laß dir nicht zu viel zeit
mit dem manna und mit den wachteln
oder hattest du einen anderen plan?
DU TUST DEINE HAND AUF
warum schaust du auf meine hand?
irgendetwas nicht in ordnung?
UND SÄTTIGST ALLES NACH DEINEM GEFALLEN
ich danke dir, herr
daß du deine augen nicht von der not abwendest
und deine hand nicht vor dem hungernden verschließt.
ICH WILL DICH RÜHMEN MEIN GOTT UND
   KÖNIG
UND DEINEN NAMEN PREISEN IMMER UND
   EWIG

5.48 Variation 2

ICH WILL DICH RÜHMEN MEIN GOTT UND
   KÖNIG
UND DEINEN NAMEN PREISEN IMMER UND
   EWIG
ALLER AUGEN WARTEN AUF DICH
meine augen warten auf dich
wenn sie ins schaufenster des delikatessengeschäfts
   starren
meine nase wartet auf dich
wenn sie den leckeren braten riecht
mein gaumen wartet auf dich
wenn er den jonny walker schmeckt
mein magen wartet auf dich
wenn gut und teuer aufgefahren ist
es geht mir nichts ab
was will ich mehr?
ICH WILL DICH RÜHMEN MEIN GOTT UND
   KÖNIG
UND DEINEN NAMEN PREISEN IMMER UND
   EWIG
So hat Jahwe gesprochen:
WEG MIT DEM LÄRM DEINER LIEDER
DEIN HARFENSPIEL WILL ICH NICHT HÖREN
SONDERN DAS RECHT STRÖME WIE WASSER
DIE GERECHTIGKEIT WIE EIN NIE VERSIEGEN-
   DER BACH

5.49 Variation 3

ICH WILL DICH RÜHMEN MEIN GOTT UND
  KÖNIG
UND DEINEN NAMEN PREISEN IMMER UND
  EWIG
ALLER AUGEN WARTEN AUF DICH
UND DU GIBST IHNEN SPEISE ZUR RECHTEN
  ZEIT
DU TUST DEINE HAND AUF
UND SÄTTIGST ALLES WAS LEBT NACH
DEINEM GEFALLEN

ICH WILL DICH RÜHMEN MEIN GOTT UND
   KÖNIG
UND DEINEN NAMEN PREISEN IMMER UND
   EWIG
ALLER AUGEN WARTEN AUF DICH
UND DU GIBST IHNEN SPEISE ZUR RECHTEN
   ZEIT
DU TUST DEINE HAND AUF
UND SÄTTIGST ALLES WAS LEBT NACH
DEINEM GEFALLEN

¹⁴ Als nun der Geist des Herrn von Saul gewichen war, quälte ihn ein böser Geist, vom Herrn gesandt. ¹⁵ Da sprachen die Diener zu Saul: Siehe doch, ein böser Dämon quält dich. ¹⁶ Unser Herr gebiete nur: deine Knechte sind bereit, nach einem Mann zu suchen, der auf der Laute spielen kann. Wenn dann der böse Geist über dich kommt, so soll er spielen; dann wird es besser werden mit dir. ¹⁷ Und Saul sprach zu seinen Dienern: So seht euch für mich um nach einem Manne, der sich wohl versteht aufs Saitenspiel, und bringt ihn zu mir. ¹⁸ Da erwiderte einer der Diener: Siehe, ich habe einen Sohn des Isai von Bethlehem gesehen, der sich aufs Saitenspiel versteht, ein tapfrer Mann und streitbar, der Rede mächtig und schön von Gestalt, und der Herr ist mit ihm. ¹⁹ Da sandte Saul Boten an Isai und ließ ihm sagen: Sende mir deinen Sohn David, der bei den Schafen ist. ²⁰ Da nahm Isai zehn Brote, einen Schlauch Wein und ein Ziegenböcklein und sandte es an Saul durch seinen Sohn David: ²¹ So kam David zu Saul und trat in seinen Dienst, und er gewann ihn sehr lieb, sodaß er sein Waffenträger wurde. ²² Und Saul sandte an Isai und ließ ihm sagen: Laß doch David in meinem Dienste bleiben, denn er gefällt mir wohl. ²³ Wenn nun der böse Geist über Saul kam, nahm David die Laute und spielte; dann wurde es Saul leichter und besser, und der böse Geist wich von ihm.

1 Samuel 16,14–23

¹⁰ Am folgenden Tage kam ein böser Geist über Saul, sodaß er außer sich geriet im Hause; David spielte die Laute, wie er jeden Tag zu tun pflegte, und Saul hielt den Speer in der Hand. ¹¹ Und Saul zückte den Speer, indem er dachte: Ich will David an die Wand spießen. David aber wich ihm zweimal aus. ¹² Und Saul fürchtete sich vor David; denn der Herr war mit ihm, von Saul jedoch war er gewichen.

1 Samuel 18,10–12

5.50

fuhr der böse geist in saul
dann duckten sich die leute
bei hofe hing der segen schief
und so ist das bis heute

fährt der böse geist in mich
dann ducken sich die leute
zu hause hängt der segen schief
wie war's denn wieder heute

stimm deine laute david spiel
entlock den saiten lieder
spiel daß der böse geist entflieht
zum menschen mach mich wieder

fährt der böse geist in den betrieb
dann ducken sich die leute
am fließband hängt der segen schief
ist das ein elend heute

fährt der böse geist ins parlament
dann ducken sich die leute
im plenum hängt der segen schief
gegängelt kläfft die Meute

stimm deine laute david . . .

fährt der böse geist ins volk
dann ducken sich die leute
im lande hängt der segen schief
ein jeder schnappt nach beute

setzt den bösen geist ins matt
und tanzt vor freude heute
im land da geht ein segen auf
das kriegsgeschäft macht pleite

stimm deine laute david . . .

Friedrich Karl Barth / Peter Horst

Emil Nolde: Saul und David

david vor dem bundestag
(beim vorlesen überschrift verschweigen)

ich will von einem jungen mann erzählen
ich könnte mir sogar denken
daß er hier unter uns sitzt
dieser junge mann hat es in sich
er spielt gitarre
und singt dazu bezaubernde lieder
manchmal wenn die großen unseres volkes
zusammenkommen und
vom teufel besessen sind
dann fährt der junge mann nach bonn
schleicht sich in die bundestagssitzung
und wenn es da ganz schlimm wird
wenn das böse
oder der böse
wenn satan wirklich alle ergriffen hat
dann geht der junge mann nach vorn
geht leise ans mikrophon
wenn gerade die redner
wechseln
und dann singt er und spielt
bezaubernd schön
er singt von gott und aller welt
er singt von schönem
und ernstem
von seiner hoffnung und traurigkeit
er singt einem noch ungeborenen kind
ein wiegenlied
und sagt dem noch ungeborenen kind
wie sich alle freuen
daß es geboren wird
und daß mit ihm

wieder hoffnung in die welt kommt
mit jedem kind

und es wird mäuschenstill
im bundestag
und man spürt
das böse weicht
satan verläßt offensichtlich
den großen saal
die besessenheit
ist fort

aber
solange der junge mann spielt
so bezaubernd spielt
setzen die fernsehkameras aus
wie verhext
sie schweigen – die fernsehkameras
so daß nie die leute
die bundesbürger draußen
an den fernsehbildschirmen
etwas erfahren von dem schönen
und bezaubernden gesang
im bundestag
der alle mit hoffnung erfüllt
und der alle vereint

nie wurde von diesem erlösenden gesang
von den heiligen liedern
dieses jungen mannes berichtet
und es fand sich bis jetzt
auch nie ein verlag
der diese lieder gedruckt hätte
diese lieder voller hoffnung

und es wurde bekannt
daß die spitze der bundesregierung
die spitze

einen mordanschlag
auf diesen jungen mann
geplant
und auch versucht hat
aber der mordanschlag mißlang
weil der sohn des innenministers
davon wußte
und dieser sohn des innenministers
war befreundet mit dem jungen sänger
und er warnte den sänger

vorsicht
nimm dich in acht
mein alter hat nicht ganz dicht gehalten
ich habe mehrere telefonate mitbekommen
vorsicht
fliehe in die schweiz
zu deiner tante
sie wollen dich umbringen
und dann
machte der junge sänger
sich aus dem staub
für jahre

wie gesagt
seine lieder wurden nie gedruckt –
kein verlag fand sich dazu bereit
die öffentlichkeit erfuhr nie
von diesen schönen hoffnungsvollen
liedern
später
und jetzt kommen wir
wirklich zum schluß
später hat die bibel sie abgedruckt –
die lieder
da stehen sie nun
ein teil wenigstens

von diesen bezaubernden liedern
150 psalmen

der sänger dieser lieder
heißt david
und ist wirklich ein könig
weil er von hoffnung lebte
er traf den ton
der das böse
für stunden wenigstens
zum teufel jagte
wo es ja hingehört

und daß man mich nicht verhaftet
muß ich schnell etwas klarstellen

die geschichte
steht in der bibel
in den königsbüchern
ich habe sie nur etwas herangerückt
denn was über 2000 jahre entrückt ist
kann uns nicht aufregen
aber aufregen sollte
diese geschichte schon
weil wir ja von hoffnung leben

der
der den mordanschlag machte
war könig saul
und jonatan sein sohn
war befreundet mit david
und warnte ihn
auch das ist eine hoffnung
daß immer noch einer warnt
wo man es nicht vermutet
also leben wir von hoffnung

Wilhelm Willms

¹ Ein Wallfahrtslied.
Als der Herr wandte Zions Geschick,
da waren wir wie Träumende,
² da war unser Mund voll Lachens
und unsre Zunge voll Jubels.
Da sprach man unter den Heiden:
„Der Herr hat Großes an ihnen getan!"
³ Ja, der Herr hat Großes an uns getan;
des waren wir fröhlich.
⁴ Wende, o Herr, unser Geschick,
wie du im Mittagsland
versiegte Bäche wiederbringst.
⁵ Die mit Tränen säen,
werden mit Jubel ernten.
⁶ Man schreitet dahin unter Tränen
und streut den Samen,
mit Jubel kehrt man heim,
trägt hoch seine Garben.

Psalm 126

5.53 Menschen zerschneiden den Stacheldraht

I have a dream:
Berlin und Warschau sind Schwesterstädte;
Gdansk oder Danzig,
Bydgoszcz oder Bromberg,
Pomorze oder Pommern,
niemanden regt es noch auf.

Polen und Deutsche zerschnitten den Stacheldraht, der sie
 trennte,
bauten Brücken über scheinbar unüberbrückbare Flüsse.
Sie sangen gemeinsam von Einigkeit und Recht und Freiheit
für das deutsche Vaterland,
und „Jeszcze polska nie zginela" wurde in Deutschland ein
 Hit.
Fasziniert starrten die Völker auf dieses unerwartete Schau-
 spiel,
wurden mitgerissen auf Wege, die sie vorher nicht gehen
 wollten:
in einem freien Angola wurden Portugiesen zu gern gesehe-
 nen Gästen,
katholische Iren und protestantische Schotten vergaßen
Jahrhunderte voller Haß und Grausamkeit,
kastilische Spanier wurden zu Vorkämpfern der katalani-
 schen Sprache,
und das Wort „Apartheid" wurde aus den Lexika aller Völker gestrichen.
Ja, Großes hat der Herr an uns getan,
denn er hat uns einen Traum gegeben, der uns nie mehr in
 Ruhe läßt.
Wir können und dürfen nicht mehr vergessen,
wieviel Tränen geflossen sind,
wieviel Menschen zertreten wurden,
wieviel Ungeheuerliches geschah.
Aber wir halten fest an dem Traum:
gemeinsam singen wir unsere Lieder,
Jadwiga und Hedwig, Johann und Jan.
Gemeinsam bauen wir Brücken und Straßen
von Zgorzelec nach Görlitz und von Lipsk nach Thorn,
in Tschenstochau singen sie: „Lobe den Herrn" und „Ser-
 deczna matko" im Kölner Dom.

Diethard Zils

5.54

Wenn Freiheit wahr wird,
wenn Zwänge und Terror zerbrechen,
wird es sein, als ob wir träumen.
Dann werden wir lachen und einen Tanz anfangen.
Unsere Geschichte werden wir allen erzählen.
Auch die Skeptiker werden dann staunen
und zugeben müssen:
Sie sind frei.
Ja, wir sind frei. Wir verdanken es Gott.
Wir freuen uns nicht umsonst.

Bringt die Unterdrückten ans Licht,
die nichts zu lachen haben;
die Ausgebeuteten,
die im Schatten der Erde vergehen.
Frei sollen sie werden wie wir
und mit uns tanzen und lachen.

Die mit Tränen säen,
werden sich freuen, wenn sie ernten
Sie gehen und weinen,
säen unter Tränen –
sie kommen wieder,
ernten und sind voll Freude.

Friedrich Karl Barth / Peter Horst

5.55 Preisen will ich Dich mein Gott

Preisen will ich Dich mein Gott
in der Verlassenheit
und alle Angst verweht
und jeder Tod schenkt mir der Augen Licht
mein Gott ich preise Dich
wie lang die Zeit auch währt
ich bin nicht mehr allein
bei Dir bin ich
und froh
zerflattert sind die Vögel
schwarz
und wieder
schwarz
die Zahl zerspringt
der Mond schreit auf
ich aber bin
vorbei.

Thomas Bernhard

[1] *Hallelujah!*
Lobet Gott
in seinem Heiligtum,
lobet ihn in seiner starken Feste!
[2] *Lobet ihn ob seiner mächtigen Taten,*
lobet ihn nach der Fülle
seiner Hoheit!
[3] *Lobet ihn mit dem Schall*
der Posaunen;
lobet ihn mit Psalter und Harfe!
[4] *Lobet ihn mit Handpauken*
und Reigen,
lobet ihn mit Saitenspiel
und Schalmai!
[5] *Lobet ihn mit klingenden Zimbeln,*
lobet ihn mit schallenden Zimbeln!
[6] *Alles, was Odem hat,*
lobe den Herrn!
Hallelujah!

Psalm 150

5.56 Gebet einer Nur-Hausfrau

Gott
ich preise dich
mit dem Beutel Staub
den ich von Sofa und Boden gesaugt habe

mit dem Berg Geschirr
der unter meinen Händen wieder Glanz annimmt
zur nächsten Mahlzeit

mit dem Seifenschaum
auf eingezogenen Hälsen

mit Salbenfingern
auf Babies Popo

mit Pflaster
auf zerschundene Bubenknie

mit der Hand auf dem sandigen Struwwelkopf
von Schluchzen geschüttelt

mit Wadenwickeln
auf fieberheiße Haut

ich preise dich
mit meinen zwei Händen
voll Dreck und Abwasch und Windelkot
und Tränen und Trost
und Not-
wendigkeit
deiner
Welt

Helga Piccon-Schultes

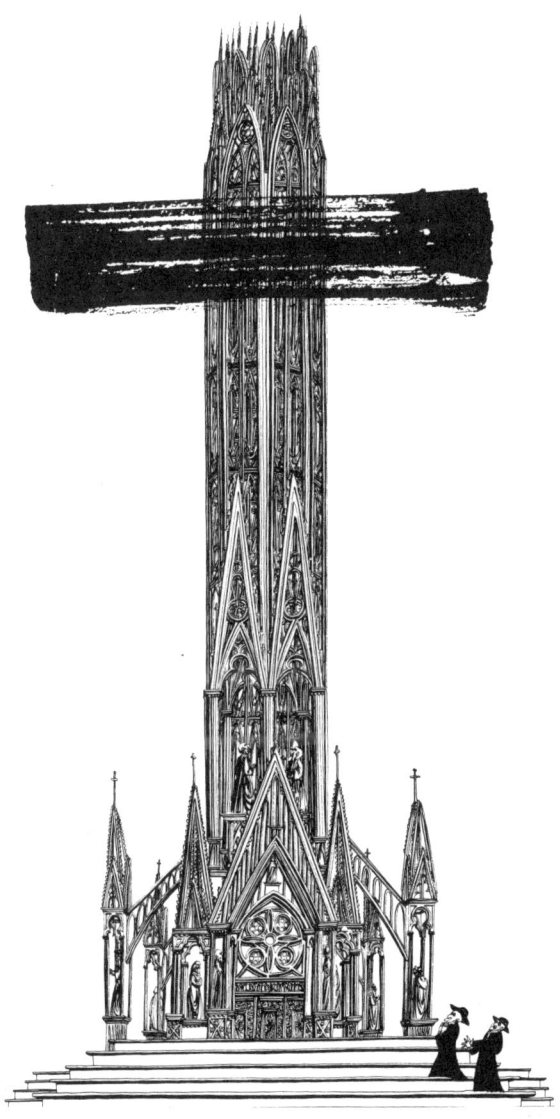

Hans-Georg Rauch

5.58 Wie sollen wir Gott loben

Der große Lobpreis

Lobt Gott mit euren Festen,
lobt ihn mit euren mächtigen Taten.

Lobt Gott mit der Kraft eurer Hände,
lobt ihn mit der Schärfe eurer Gedanken.

Lobt Gott mit euren Fragen,
lobt ihn mit euren Fehlern.

Lobt Gott mit der Weichheit eurer Lippen,
lobt ihn mit dem Lächeln des Augenblicks.

Lobt Gott mit eurer Offenheit,
lobt ihn mit eurer Gastfreundschaft.

Lobt Gott mit den Worten fremder Völker,
lobt ihn mit Klängen ferner Länder.

Lobt Gott mit euren Gesprächen,
lobt ihn mit eurem Schweigen.

Lobt Gott
mit allen Stimmen,
mit eurem Atem,
mit euren Körpern.
Alt und jung,
lobet den Herrn.

Uwe Seidel

Quellennachweis

Die Herausgeber verdanken für ihre Arbeit an diesem Band manche Anregung dem Buch Paul Konrad Kurz (Hg.), Psalmen vom Expressionismus bis zur Gegenwart. Verlag Herder, Freiburg 1978.

S. 16 Aus: Dies., fliegen lernen. W. Fietkau Verlag, Berlin [3]1980; S. 17 Aus: Ders., Beunruhigungen. Verlag K. Wagenbach, Berlin 1984, Quartheft 129; S. 18 © 1987 Belmont Music Publisher, Pasific Palisades, CA; S. 19 Aus: Ders., roter faden glück. lichtblicke. Verlag Butzon & Bercker, Kevelaer [4]1982, 2.5; S. 22 © H. Wohlgemuth; S. 23 Aus: A. Juhre (Hg.), Singen um gehört zu werden. Jugenddienst-Verlag, Wuppertal 1976; S. 24 Aus: Ders., Psalmen. © Limes Verlag GmbH, München; S. 25 Aus: Gott der Armen. Religiöse Lyrik aus Lateinamerika. Ausgewählt und übertragen von F. Niedermayer. Patmos Verlag, Düsseldorf 1984; S. 26 © Jals; S. 27 Aus: Chr. Weiß (Hg.), Kleine Texte zum Spielen, Bd. 2. Jugenddienst-Verlag, Wuppertal [3]1965; S. 31 Aus: U. Seidel/D. Zils, Psalmen der Hoffnung. Texte für jeden Tag. Schriftenmissions-Verlag, Neukirchen-Vluyn [2]1982, S. 136; S. 32 Aus: Ders., In der Nacht leuchten die Wörter. Das poetische Werk, Bd. 1. P. Hammer Verlag, Wuppertal 1985; S. 33 Aus: Ders., Stereotypien. 51 Gedichte. Pendo-Verlag, Zürich 1977; S. 34 Aus: Ders., abendland. H. Luchterhand Verlag, Darmstadt 1980; S. 35 Aus: Gesammelte Werke. © Suhrkamp Verlag, Frankfurt am Main 1967; S. 37 © W. Schiffers; S. 37 Aus: Ders., Frieden im Klartext. Schalomgottesdienste. Meditationen–Modelle–Mahnfeiern. © 1980 by RADIUS-Verlag, Stuttgart; S. 39 © D. Süverkrup; S. 40 Aus: Ders., abendland, a.a.O., S. 15; S. 41 Aus: Th. Sundermeier, Südafrikanische Passion. Luther-Verlag, Bielefeld 1977. Rechte: P. Hammer Verlag, Wuppertal; S 42 Aus: Ders., Werke in 2 Bänden, Bd. 1. Klett-Cotta, Stuttgart [4]1984. S. 43 Aus: Ders., Und Mirjam nahm die Pauke in die Hand. Verlag am Eschbach, Eschbach 1985, S. 8; S. 44 Aus: Ders., Der Himmelschlüssel. R. Piper & Co. Verlag München 1966; S. 44 Aus: W. Dietrich, Und Mirjam nahm die Pauke in die Hand, a.a.O., S. 35; S. 45 © 1987 Copyright by COSMOPRESS, Genf; S. 46 Aus: Ders., Und Mirjam nahm die Pauke in die Hand, a.a.O., S. 10; S. 48 © A. Juhre; S. 49 Aus: Ders., Wörter suchen Gott. Benziger Verlag, Einsiedeln 1968; S. 49 © Thomas Bernhard; S. 50 Aus: E. Cardenal, Das Evangelium der Bauern von Solentiname. Gesamtausgabe. P. Hammer Verlag, Wuppertal 1980; S. 51 © K. Marti; S. 52 Aus: Ders., Niedergefahren zur Erde. Quell Verlag, Stuttgart 1976; S. 56 Aus: U. Seidel/D. Zils, Psalmen der Hoffnung, a.a.O., S. 129; S. 57 Aus: Ders., Rattenfest im Jammertal. Claassen Verlag, Düsseldorf 1976; S. 58 © Otto Dix Stiftung, Vaduz; S. 59 Aus: Ders., Landessprache. © Suhrkamp Verlag, Frankfurt am Main 1960; S. 61 © K. Darnok; S. 65 Aus: Ders., Und Mirjam nahm die Pauke in die Hand, a.a.O., S. 6; S. 66 Aus: Almanach für Literatur und Theologie 10. P. Hammer Verlag, Wuppertal 1976; S. 70 Aus: U. Seidel/D. Zils, Psalmen der Hoffnung, a.a.O., S. 197; S. 73 Aus: Ders., Wortwechsel. W. Fietkau Verlag, Berlin 1973; S. 81 Stimme deine Laute, David, aus: Leben wird es geben. 1975. Alle Rechte P. Janssens Musik Verlag, Telgte; S. 82 Mit frdl. Genehmigung der Nolde-Stiftung Seebüll; S. 83 Aus: Ders., aus der luft gegriffen. Verlag Butzon & Bercker, Kevelaer [4]1984, S. 214f.; S. 87 Aus: U. Seidel/D. Zils, Psalmen der Hoffnung, a.a.O., S. 172; S. 89 Aus: F. K. Barth/G. Grenz/P. Horst, Gottesdienst menschlich, Bd. 2. Jugenddienst-Verlag, Wuppertal 1980; S. 90 © Thomas Bernhard; S. 92 © H. Piccon-Schultes; S. 93 © H.-G. Rauch; S. 94 Aus: U. Seidel/D. Zils, Psalmen der Hoffnung, a.a.O., S. 199.